辣手篇章
照初心

廖中和 ——— 著

一名獨立思考者的海外觀察

目次

柔聲說反話

心靈豈可工程

小器中國

給政治人物卸粧

柔聲說反話

天下有不是的父母

——父親節自反錄

　　流傳的諺語，固然有些確實是歷久彌新，直到今天，仍然足以做為待人處事的圭臬，但有些可不盡然。

　　在個人成長的過程中，對傳統文化與制式教育有意教導和強調的某些觀念，始終抱持質疑的態度。「天下無不是的父母」這種觀點，就是其中之一。引起質疑的原因其實再簡單不過，因為與周遭生活環境耳聞目睹的實情，並不相符。換句話說，從一個少年人的眼光來觀察，已經很容易發現到：人間的的確確是有不負責任的父母，虐待子女，舉止乖張，其言其行不足為訓者，絕非罕見。而且隨著閱歷的增長，更了解到貧窮落後的國家有這些現象，富裕先進的社會也一樣未能免除。實情既屬如此，怎麼還能盲目的相信：「天下無不是的父母？」，如何能夠以全稱的語氣肯定：一旦為人父母，在子女面前就是真理的化身呢？

　　在幾千年文化傳統的習染下，父母與子女之間，就權力的秩序與知識的傳遞而言，形成了父母（尤其以父為主）在上、子女在下的關係。也因為這樣，即使子女業已成年，至於尚未成年者更不在話下，在對人對事的見解上產生衝突時，父母自然而然地會擺出權威的姿態，從而自認為於其思維中，早已為了子女的權益做了最佳的設想，「一切都是為了你好。」自「天下無不是的父母」出發，到「一切都是為了你好」，不是理直氣壯又順理成章嗎？

　　類似上述這種倫理架構與認知順序，宰制了我們的社會組織甚久。其實，換一個角度來省思，視界可能會更寬廣。青年人有機會與

能力去突破前輩的識見，這種例子越多的社會，其進步的幅度與速度不會更快嗎？年長者肯於承認自身的錯誤，從而永遠需要學習和改進，這不正合乎韓愈「聞道有先後，術業有專攻」的觀察，且為孔子「活到老，學到老」這種日新又新的精神，作了最佳的佐証與注解！年輕的人可能對可能錯，年老的人可能正確可能不正確，所體現的乃是生命的不可預測與精彩豐富，我們應該表示欣賞與感恩。

胡適青年時代提倡「無後主義」時，說過「我不要兒子，兒子自己來了」的名言。細究起來，當然是不合邏輯的，子女是不會自己來的。倒是「父母有魚水之歡，無求子之意」這種說法，更為寫實，大概也是大多數子女誕生到這個世界來的實況。當然，越到現代，越多已婚男女採行計劃生育的辦法。但不論是出於傳宗接代的神聖使命，或出於精心計劃下的情愛結晶，或只是魚水之歡的附產品，子女既係從我身而出，父母實在是沒有權利去遺棄與不愛的。此所以若有青年朋友懷孕之後來告訴我，一律諄諄告以必須用不勝歡迎的心情來期待新生命的到臨，一個生命的誕生是何等的欣喜與光輝。

當然，養兒育女乃是一段相當漫長的歷程，多數人都是一方面基於愛的本能，一方面邊做邊學。人類生兒育女與歷史同其古老，但這方面的經驗無法遺傳，而且對每一對夫婦而言，都是嶄新的經驗。因此，在自信與自疑之間，兒女也就日益長大成人。每一個為人父母者，在子女成長以後，回思養育過程中的種種，多少都會對某一階段某些事物有所後悔，或者覺得當時管教過嚴或管教過鬆，子女日後如在某方面稍有欠缺不足，甚至會有自我責備的罪惡感。人生總會有無奈與殘缺而不夠完美的地方，想來這也必然是其中之一吧。

有了子女之後，對新婚夫婦的生活方式與內容，影響深遠。平心而論，也帶來了許多不便和負擔，對某些人而言，甚至是長期的苦痛與累贅。古代文學中不乏以父母養育之艱難與苦心為主題，轉而成為

子女應盡孝道的張本。這種思路，則又不敢全然贊同。筆者並非無視於養兒育女的諸種現實，是有辛苦的地方，是有負荷與壓力，是有煩心不順的時候，甚至父母子女之間會有衝突與對立；但眼看著子女生命的成長，自己也得到機會學習，並使自身生命的展現更加充足，得失之間，明顯的父母子女都是獲益的。不少次在社交場合，友人或長輩見到我們身旁兒子都已長大，總會說我們「熬出頭了」，恕我們未能隨俗，總是答以：其實我們並不覺得如此，我們認為生兒育女乃是快樂多過痛苦。因為我們要讓兩個兒子知道，他們在這個世界從一出生就是被歡迎的，我們養育他們，所帶給我們的是快樂，而不是痛苦；他們的成長，不是我們的煎熬，而是我們的喜樂與驕傲。

時值父親節，沒有去追思先父生前的種切，反而以自己身為人父的粗淺經驗有所反思，並且錄而誌之，希望不是無益之舉。

——《美中新聞　評論報導》，1995年6月16-22日

道尊然後師嚴

　　在美國的各大都市中，喬治亞州的亞特蘭大，可能是唯一每年正式表揚優良教師的大城。根據所知，似應歸功於現任中華民國外交部常務次長陳錫蕃。

　　陳先生於一九七〇年代中期，派赴亞特蘭大開辦總領事館。他深深感到美國社會，教師（尤其是中小學）的貢獻與地位，未能獲得更多的認可，況且應該擁有屬於自己的節日，因此建議教育局，何妨依照中華民國的成例，於每年孔子誕辰公開表揚優秀教員，此議為教育局接受。加利福尼亞州曾經辦過類似的活動，但似乎並未予以常規化。相形之下，亞特蘭大的例子就彌足珍貴了。外交人員自係代表其本國，但對駐在地的文化也能發揮影響，或使之更加豐富，這是一個很好的例證。

　　在中國悠久的歷史進程中，孔丘地位的起落，當然經常是各個朝代與政權價值觀念的反映。但孔夫子從政只做到大師寇，且為時甚短，然而他的基本觀念和人文理想，卻透過其門徒的記載和轉述，變成綿延不絕一脈傳承的學術生命，自漢朝董仲舒獨尊儒學以後，更成了中華文化的主流。此後的際遇雖然迭有不同，有時是官方的顯學，有時被貶低甚或禁絕；有時是進步的代表，有時是落伍的象徵；有時是政統的幫兇，有時卻是與政統相抗的道統。到了近代，中國與西方文化廣泛接觸，國力的強弱對比明顯，於是儒家的思想就成了最方便的「歸咎」源頭。民國初年，四川的吳虞是打倒孔老二的文化英雄，國民黨元老吳稚暉倡言把線裝書丟進毛坑，錢玄同主張廢除中國文字，這種文化趨勢的最高潮，就是中共政權之入主神州大陸。有相當

一段時間，儒家的慧命寄託在流亡香港的錢穆、唐君毅等新儒家學人的身上，以及退守臺灣以中華文化正統自居的國民政府身上。蔣中正之倡導復興中華文化，雖有政治對抗的含義，但儒家的道統也因此多了一分助力，而得免於完全的滅絕。

在中共政權一連串「反右」、「破四舊」、「文化大革命」等激烈的摧殘下，儒家思想卻彷彿浴火的鳳凰，隨著東亞經濟發展的成就，而有重生之勢。在海外，目前有杜維明教授等「文化中國」的呼聲；即使在中國大陸，去年也召開了盛大的國際儒學會議，美國漢學家狄百瑞稱之為「北京的儒門新氣象」。從多元的角度來看，實在是令人欣喜的一件事，說明了在官方的意識型態之外，儒家提供了另外一種選擇，而且可能是遠較合乎人性與理性的選擇。同時更重要的，它也說明了以儒家為主的中華文化，歷經諸般政治劫難，卻能穿透且超越政權的壽命，對承受過百般折磨的現代中國人而言，指出了一個比較永恆的立命之所。獨立於政統之外的道統，並非只是理學家著述中抽象的名詞，而是具有切身現實意義的道德與價值體系，至少它該當是政統的制衡。

依上面所述的理路，則目前慶祝孔子誕辰暨教師節，重點應該是放在「道」之上，也就是說孔子之所以為萬世師表，之所以被尊為至聖先師，乃是因為他所傳承而且後人可以據以發揚的「道」。教師之所以能夠以及應該受到尊重，乃是因為其所傳之「道」。這與西洋先哲所稱「吾愛吾師，吾更愛真理」，同一精神。用通俗的話來說，對「真理」的尊重，比對個人的崇拜或尊崇更形重要。

在傳統文化的薰染下（其實也是儒家思想的世俗化，脫開「道」的儒家思想與體制，一樣應該予以反思和批判），國人早以習於「天地君親師」的秩序排列，無形中把這些概念一以貫之。天地屬於自然的範疇，君臣民屬於政治的範疇，親子屬於倫理的範疇，師生屬於知

識的範疇，這麼多不同的範疇統而一之，不僅粗疏，也不合理。更重要的是不同的範疇往往有不同的規律或理則，如何能貫通到底？自然的規律未必能適用於人倫，政治的規律未必可以適用於知識。而於實際的應用上，可能產生的流弊極多。記得就讀某國立大學時，因事批評軍事教官，竟被叫入教官寢室，教官即以「天地君親師」來樹立其地位，訓斥有加，最後還以枕頭底下有一把手槍做威脅！

　　而直到今天，「師嚴然後道尊」的說法，仍然是當前社會普遍被接受的觀點。在狹義的解釋下，師嚴變成了教師的教授方法與管理方式的「嚴格」，管教嚴格常常是一間學校校譽之所繫，同時也是教師成名的條件之一。「嚴師出高徒」這一類的話得以流行，恰是旁證。然而仔細尋思，「師嚴然後道尊」明顯的是本末倒置，人間那有這麼便宜的事？只要「師嚴」即可達到「道尊」，這個成本實在太容易了！事實上並非如此，師嚴的結果經常是統一的思考方式、壓力下的整齊劃一和怯於突破既有的思考格局；至於對知識與真理的主動興趣與追求，敢於與眾不同的勇氣，堅持學術發現不必附從於習俗觀點，則一概闕如。教師不是真理的代表，更不是權力的工具，所謂「循循善誘」、「師不必賢於弟子」，必須從這個方向來理解。

　　教師乃是為「真」與「道」服務的人。人之所以「遵師」，基本是出於「重道」。紀念教師節，理應撥亂反正，重新確認：道尊然後師嚴——此處的嚴且已轉為尊嚴。

——《美中新聞　評論報導》，1995年9月29日

母親節雜思

　　今年母親節的前幾天，心頭不時縈繞的，竟是一位黑人青年代母申冤的沉痛抗議。五月初，芝加哥警方逮捕了一位廿八歲的嫌犯，此人過去五年來，以極其殘忍的手法，殺死了十名以上的妓女，其中一位被害者，就是上述黑人青年的母親。自從母親遇害後，這位青年想方設法，想憑一己之力找出兇手，四年之間不改其志。

　　這次警方終於抓到兇嫌，照理應該讓親友稍感欣慰才對。然而，由於警方和傳播媒體似乎把被害人的個人資料透露過多，諸如有服用毒品的積習且從事性交易等等，親友們深感這類不必要的訊息，反而誤導一般大眾，以為這些人死了活該，不僅對死者而且也對她的家人，造成第二度的傷害。這位有心的青年，忍不住要向社會表示抗議，並且大聲疾呼：「就算這些女性從事性行為以換取金錢，但她們也要吃飯、睡覺、走路，她們也會笑會哭……，和我們一樣，她們也是人。」收音機中傳來明確而有力的聲音，令人動容。

　　我們不知道這對母子之間是否充滿著關懷與親情，黑人青年的表現，是出於孺慕之情，或是間雜著報仇的意念，其實都可以理解。重要的是他能堅持「把人當人」的原則，而社會有違反這一原則的傾向時，又敢於用堅定的言詞以示抗議。在母親節的前夕，見到一位青年，替命運悲慘的母親爭取死後的尊嚴，格外叫人有所感思。同時也引發了一些聯想。

　　臺灣的著名詩人余光中，曾經寫過傳誦一時的名句：「患了梅毒，依舊還是母親。」

　　當然，很少人把這句詩和真實人生中的母子相比擬，因為親子關

係既已存在，並不因母親的身分地位、健康狀況而改變，子女日後飛黃騰達，或許在某些情況下，會因父母的卑微而加以隱瞞，甚至不予承認，但這並不能改變事實。其實，余光中這句詩指的是近代的中國，中華文化的傾頹，國勢的衰弱，人民生活的貧困苦痛，一句話，苦難的近代中國，在她的子民看來，彷彿是患了梅毒的母親，但她還是不折不扣的母親。正因為政治指涉的含義很重，因此在論述中國問題的國人當中，常常加以引用，視之為愛國情操的表達。然而，就政治指涉的範圍而言，卻使人不免要反問：既然知道患了梅毒，是不是應該去治療呢？客觀的現實則呈現著一幅不同的景像：如果有人指中國患了梅毒，結果往往是被政權指為「反華」、「叛國」，更遑論治療了。

以「愛」來描述或界定人與國家的關係，有其難以克服的內在限制，不宜隨便擴大利用。所謂「熱愛祖國」、「愛國精神」、「民族主義」，皆應冷靜且理性地予以對待。

即使是世人熟悉且普遍歌頌的「母愛」，在現代也多少受到挑戰。一九八○年，法國伊利沙白‧巴丁特博士出版「母愛」一書，引起廣泛的爭議，暢銷一時，且被譯成十幾種文字流傳，被認為是女性主義在法國最成功的一部著作，這本書對「母愛是天性」、「母親本能是天生的和放諸四海皆準的」信念，提出異議。

巴丁特根據她對西方過去四百年母性行為的研究，發現母愛並不是根深蒂固地存在於女人的本性中。母愛不是上帝所賜，而是一項珍貴的禮物。並且認為，母愛乃是人類的一種感受，相當脆弱，並非十全十美。作者觀察不同時代的母性行為，發現母親對子女的關注與奉獻，在有些時期很明顯，但在有些時期則不然。以十八世紀的法國為例，當時住大城的婦女，小孩生下後，便交給農村的奶媽去養，不聞不問，有時長達四年。作者曾調侃說，對於母愛的過度頌揚，有時是

文人學士養育子女遭遇挫折，深以為苦，於是予以美化、理想化。作者在書出版前，預防別人對她的子女說媽媽不愛他們，事先向孩子講清楚：「愛，不是自動的。我們共同締造它。我決心去愛你們。」

這段話，具體而微地托出了作者的中心思想。

兒科醫師和兒童心理學家，對這本著作反應強烈，因為他們從經驗中早已知道，有不少的母親並不具備母愛的本能。他們深恐作者的觀點，只會助紂為虐，使母親因拋棄子女所產生的罪惡感，一掃而空，使不幸的兒童所僅有的些許保障，化為烏有。同時，從論理的角度來思考，巴丁特既然強調「決心」去愛子女，那麼，可不可以「決心」不去愛子女呢？平心而論，子女生到這個世界上，並非出於他們的自由意志，父母是無權選擇去「不愛」子女的。過分強調「決心」去愛子女，反而令人覺得似乎易於造成相反方向的不良副作用。

不管母愛是出諸人的本性，或是刻意學習而得來的，無論如何，母愛乃是人類生活中一項極其可貴的價值，沒有其他東西足以取代。我們的社會，固然充滿了對母愛的感懷、讚美與頌揚，但在實際生活中，為人父母不具愛心全無責任者，也不在少數。母愛，或者廣義的愛，在人間世是永遠不夠的，我們的努力便在使它更多。

——《美中新聞　評論報導》，1996年5月10日

女人說髒話

　　就讀高雄中學高中部時，教外國地理的許老師，為了引起同學的興趣，常在課堂上穿插一些奇特的題材。某次講述美國地理，便提到美國人訂立的荒唐法令，其中一項直到現在還記得清清楚楚：某州為了保障火車的行車安全，特別立法規定，不准州民用肥皂洗鐵軌！

　　時隔多年，沒想到最近得知的一起新聞事件，竟使個人記憶拉回到青澀的高中歲月。大約一年前，密西根州一位廿五歲的年輕人，在湖上泛獨木舟時，不幸翻船，一怒之下，他便大聲詛咒，猛說髒話。附近恰好有一對夫婦帶著小孩也在划船。這位青年的聲量很大，而且罵的髒話實在太過於不堪入耳，使得媽媽只好將兩歲女兒的雙耳掩蓋住，同時把船划開。不久之後，這位大聲公被逮捕了。

　　今（一九九九）年初夏，密西根州陪審團認定此君有罪。審理法官於八月下旬判決：被告必須履行四天的社區服務，另加罰金七十五美元或入獄三天，社區服務還限定必須與托兒工作相關。被告如不服，自可上訴。這一「獨木舟罵髒話案」，根據的法令是一八九七年該州的一項規定：「第三三七款：在婦女或兒童面前、或聽得到的地方，使用任何下流、不道德、猥褻、粗俗或侮辱性語言，可視之為行為不檢而有罪。」

　　這項規定已超過百年，並且絕少執行。如果硬要嚴格執行，以今天粗話泛濫的程度——尤其青少年嘴上髒話出現的頻率之高，大概滿街都是「行為不檢」的男男女女了。對，女性包括在內。著名的專欄作家巴伯‧葛林在評述這件事時（見芝加哥論壇報八月卅日第五部分第一頁），頗為感慨地表示，他無意冒犯女性，但依他個人的經驗，

當今的女性即使不是盛怒之下，口出穢言的例子早已不少，若想婉轉地告訴對方，「這樣說話不太像淑女」，恐怕只會橫遭一頓白眼。葛林認為，當今女性，足可列入有史以來「說話最髒的人」的行列。他還語含諷刺地說，為了避免性別歧視，男人也應包括在上舉規定內，亦即在男人面前詛咒講髒話，也是違法的。算是反空氣污染立法的最後招式之一。

　　女性也說髒話，個人可是早有體會，甚至在當時產生了某種「文化震盪」現象。有幾次因為安排演藝人員的綜藝節目，得有機會進入後台目睹耳聞他們的排演等情，看到他們未上妝、未著戲服時的工作與生活實況，某些已具備或略具偶像架式的女藝人，於言談吆喝中，竟然滿口「他媽的」、「我肏」等粗話，初次聽到，實在很不習慣，而且無法與她們在舞台上的形象連接起來，一時「文化震盪」衝擊全身，會過神來，才想起「人生如戲，戲如人生」的老話。這一經驗，使我對環境和行為的互動有較深的理解，而演藝工作受人尊重的程度，自與藝人的舉止行為脫不了關係。

　　巴伯·葛林認為當前的美國女性粗話、髒話太多，當有依據，但並非只是美國女性才這樣。很遺憾地，我們自家的女同胞同樣出現類似的情況。年輕一輩的女士，開口動輒「哇塞」一番，聊天吹牛曰「打屁」（大陸人士愛用「侃」，反倒好些），老實說，都不怎麼雅。流行的口頭禪，學生盛行的校園用語，本來是很自然的景象，且常隨著熱門音樂、影劇而興起，一代有一代的流行，一地有一地的用語。代間差異，乃是永遠不斷的上演的戲目。十幾二十年前的人，讀到上述，難免回兩句話：你又不跟我們「和」，亂「蓋」些什麼呀！

　　站在二十世紀的最末一年，回顧過去百年的社會變遷，應可發現女性地位的提升，不但明顯可見，而且該說是人類文明的絕大成就。早期女性投票權的爭取，節育觀念的提倡，直到七〇年代婦女運動的

勃興，總方向就是解除原本加諸於婦女的種種束縛和限制，語言的使用似也不例外。現代的女性主義者，在相當正式的社交場合，可以大談如何自己撫玩陰蒂而達致性高潮，然後睥睨在座男士曰：誰需要男人呀！何忸怩之有？但對我的上一輩人而言，則未免太不「淑女」了。

一方面是束縛的解脫，另一方面也可能誤用了男女平等的觀點，現代女性為何不可？社會既然接受男士可以講些粗言髒語，女士說說又何需大驚小怪！個人認為這是不必要的誤解。婦女運動爭取女性地位的提昇或平等，無需凡事以男性為標準或師法的對象，無寧以取得人的地位之平等為主，致力發展女性的優點，才是正途。男性抽煙多，或有暴力傾向，有什麼值得看齊之處？滿口粗話的男人，何嘗代表了雄糾糾的男子氣慨？語言的低級、粗俗與骯髒，絕非活力的表現，而是生命的墮落。這樣說，不是主張禁止使用髒話，事實上也禁不了，而是反對以此為尚。滿嘴粗話的青春女士，無論對女性或男性而言，吸引力總是有限的。

一位女士成人後，從來沒聽過「他媽的」，當然是純潔得有點虛假；但她若每隔三句話便套上「他媽的」，則這個人毛病更大。

——《美中新聞》，1999年9月3日

危險的哲學家

　　經濟與科技掛帥，幾乎可以說是現代社會的主要特點。在這種處境下，哲學能扮演什麼角色？它能發揮什麼功能？

　　幾年前，美國東岸的哲學界曾經流行過一個說法，那就是坦白承認哲學是沒有實際功能與效用的一門學科，其實也等於是自我否定或自我取消。但在更早之前，由於商業活動與一般人的日常生活愈愈相關，公司行號與政府、環境、顧客之間，不能避免地產生了許許多多含帶道德性的問題，逼得商業機構，不得不考慮倫理思考在營業上的比重，而受過哲學訓練的人，相對而言比較適合這方面的工作，當時有人便認為是此一學科和哲學系畢業生的新出路。

　　當然，以上所述基本上還是從社會觀察的角度而提出的。哲學思辯淵源久長，與人類知識的起始同其古老，哲學就好像是傳說中的浴火鳳凰一樣，生命力堅韌，屢隨時代的變遷而再生。徵諸目前美國方面的哲學爭論，竟與前述若合符節。依個人甚為有限的見聞，當今最受重視的哲學家，或可舉彼得・辛格（Peter Singer）和瑪莎・紐絲邦姆（Martha Nussbaum）為例。紐絲邦姆目前任教於芝加哥大學，才五十出頭的年紀，但已被目為美國女哲學家的祭酒。這位對戲劇情有獨鍾的學者，青年時期幾經轉折，最後卻以哲學為專業，對女性主義運動的思考方向，造成極大衝擊，以「人性的律師」自居。和辛格風格近似，都是有意「改變世界」的思想家。今後容有機會再談她，本文將以辛格為主要目標。自然，受限於篇幅，頂多只能點到為止。

　　來自澳洲的辛格，出身英國牛津大學。去（一九九九）年九月起，受聘普林斯頓大學，擔任該校「人類價值中心」生物倫理學教授。普

林斯頓大學聘用他，引起非常大的爭議，保守派宗教團體反對聲浪尤其強烈。輿論界對辛格來美任教，也相當重視。紐約客週刊去年九月六日以長達十頁的專文介紹他，題目就叫「危險的哲學家」（本文題目即抄自該文）。他在美國初試啼聲，於去年九月五日紐約時報雜誌發表「對世界貧窮問題的辛格解決方案」，方案雖然簡單之至，但反響頗大，引來新共和週刊今年元月十日十一頁長文的強力批判，且成為封面主題文章，作者彼得·柏克維芝（Peter Berkowitz）也是現代社會倫理問題的大方家，刊有專著面世。（該文標題The utilitarian horrors of Peter Singer-Other People's Mothers 含義近似臺灣俗諺：別人的兒子死不完！）

在出任普林斯頓大學教職之前，辛格名氣已經很響亮了。一九七五年他刊佈《動物解放》一書，迄今已賣出五十萬本，這部著作被認為是當代保護動物運動和主張動物權的經典。銷售量雖大，辛格卻笑稱他並不滿意，他以為這本書應該造成全球的思想大革命，學者的執著與自信，表露無遺。他的另一名作《實用倫理學》，一九七九年成書，一九九三年修訂再版，先後售出十二萬本，乃是當前最暢銷的倫理學教科書。他所編的《為動物辯護》一書，理論詳賅，親自撰寫的《導言》，極為簡明扼要。個人還想指出一點，辛格一九九四年著的《生與死的再思考——我們傳統倫理學的崩潰》，非常具備時代意義，醫學界固然應該參考，一般人也可自該書獲益。（附記一筆，臺灣生死學的探討，也是由一位哲學家已故傅偉勳教授掀起）

辛格自己乃是英國邊沁傳下來的「功效主義」的門徒，重視結果勝過動機。而他在表達時，文字雖然明確，但有時推理到極端處，則很容易觸怒傳統的倫理思想。西方的猶太·基督教傳統，把人的生命視為神聖，不無忽略其他「有情眾生」（筆者用此詞譯英文sentient 一字）的傾向。在辛格看來，這種漠視動物權利，實在是人類基於身屬

於某一生物類的歧視。在他看來，人的生命並不比狗的生命更神聖。也因此，拿毫無生命跡象無意識的孤兒來從事醫學實驗，比起以完全健康的老鼠做實驗，更顯慈悲。辛格甚至這麼寫道：「當一名全無生存能力的嬰兒之死亡，會導致另一位更有展望能過幸福生活的嬰兒之誕生，則殺死這個嬰兒，幸福的總量反而更大。相形之下，第一名嬰兒幸福生活之所失，抵不過第二名嬰兒更幸福之所得。因之，假定一名血友病嬰兒被殺對他人無不良影響，則根據整體觀點，殺死該名嬰兒應屬正確。」

像這樣的話，大概是辛格被封為「危險的哲學家」的原因吧！功效主義的計算，有些反對派的學術界人士稱之為「道德經濟學」，似亦不無道理。

將辛格視為冷血哲學家，當然是不對的。事實上，他對世界上貧窮地區兒童的命運關懷備至，甚至要求富裕國家如美國的居民，除了維持基本生活所需的費用外，其他所得均應捐出濟助窮人。依他的計算公式，年所得五萬美金的家庭，基本生活所需約三萬美元，其餘二萬美元應捐出。他本人也是長年將收入的五分之一捐出。辛格的這套公式，自也招來許多批評。個人比較在意的則是，這種公式，到頭來有可能造成捐助者——被濟助者的社會區隔，從而又衍生另一個型態的歧視。

早在牛津研究時，辛格夫婦發現同事不少人本乎道德理由，不肯吃肉只吃素食。經過一番解析，他們決定吃素才是唯一合乎倫理的生活方式。佛家的影響顯然可見。最近辛格出了一本小書「達爾文左派」，以「左派」來修正物競天擇、適者生存的觀念。他認為達爾文只重人的自私性，而不重視人的合作性，只知其半。唸過孫中山三民主義的人，立刻可以看出這位「危險的哲學家」，顯然與中山先生同其觀點！

東西方思想的交光互映，畢竟是令人鼓舞的。

──《美中新聞》，2000年1月14日

給手淫更多機會

（如果您自認本身的心智狀態「純潔」有如未成年人，請勿閱讀本文，謝謝您的合作。）

　　當代美國婦女運動的代表性刊物Ms.雜誌，今（二〇〇二）年春季號回顧三十年來走過的痕跡，編出「三十年來報導、反叛與說明真相傑作選集」。這份刊物有盛有衰，且曾經停刊過又再出發，近年由月刊改為季刊，雜誌的命運並不順遂，但對婦女意識的貢獻，則確實是無從抹殺，更因為現代傳播技術的進展快速，其影響力並不受國界與文化的限制。

　　「傑作選」所挑重印文章中，佳作紛陳，其中有一篇極具先驅意義，那就是該刊一九七四年八月號登載的「認知自我－手淫初階」。作者貝蒂·德生本來是一位藝術家，後來成為女性性行為的教師，具有博士學位，她的第一部著作《解放手淫》後來改名為《一人之性》，被列為皇冠平裝本經典叢書之一，新作《二人之性》將於本年秋天問世。在四分之一多世紀以前，公然宣揚女性手淫，即使是在比較開放的美國社會，依然算是破天荒之舉。把一般人視為禁忌的話題（雖然有史以來總有人在做），在光天化日之下攤開來大談，的確需要反叛的勇氣和拓荒的精神。

　　據作者自承，她從五歲開始手淫。二十九歲結婚後，還是不時樂此不疲。文中作者本其私人經驗，教導女性如何手淫的細節，不必在此地重覆，以免有涉及「誨淫」之嫌。倒是文中表白的一些觀念，對人類行為、兩性意識甚至社會價值觀的演化，不無樹立標竿的意義，

談論起來不必避諱太多。同時，作者述及社會對女性性意識和性行為設立的「條件限制」（英文稱conditioning），不僅美國社會才有，往往也是一種普世現象。比如男女有別的雙重標準：即社會認可男性主動積極（獨立）且在性方面具多妻傾向，女性則應該被動（依賴）而在性方面維持一夫原則，事實上是普遍存在的。當然，作者不以為然。至於作者指出，許多人做愛有如趕赴約會，這也是一種「條件限制」，讀來令人莞爾。

貝蒂・德生發現，有很多人並不手淫，有些人甚至不知道婦女也有這回事（何必呢？）某些自以為很行的男士，甚至會大言不慚地表示：若是自己的女人，哪會淪落至此！基本上，作者認為，有如異性、同性、雙性和集體性行為一樣，自我性行為乃是人類性行為的一部份。而且跟任何技巧或藝術形式相同，不能委之於天生或自然而然便會，性行為也是需要學習及練習的。不過，在她看來，男女性交並不必然更好，它只是不同罷了，自我手淫與男女性交，兩者皆為她所喜歡。她進一步表達說，手淫有助於維持性的正常，不應把它視為次級的性活動。

幾年前，有幸認得臺灣婦女運動的精英，這些女士全都受過高等教育，從事的工作也不錯。某次，在一個還算正式的社交聚會中，有位言辭犀利的女士，侃侃而談〈海蒂報告〉（出名的性學研究），並且說明女性撫摸自身的陰蒂，照樣獲致令人滿意的高潮，語畢環顧周圍男性，言下之意彷彿誰需要男性呀！其實，這位女士講的就是女性的手淫。如今回想起來，類似這樣的神態與議論，不管是否曾經讀過貝蒂・德生的文章，或者是間接聽聞，卻彷彿多少含帶著她的身影。

在中國語文裡頭，手淫也叫自瀆，但自瀆具有貶義，把這種行為視同傷害自己，而這正好也是多年來的積習概念加諸一般人——尤其是青少年的觀點。經過現代對人類性行為的科學研究，目前已經比較

少人認為手淫傷身了。知名大作家李敖是一個衝決網羅的人，在他近幾年出版的兩部回憶錄中，不僅記述本身與多位女士的情史，而且還名正言順地大談他的手淫，令人印象深刻的一幕是：他對著自己最中意的「花花公子」雜誌裸體女身相片，暢快之至的手淫一番。李敖是勇者，總是言人之所不敢言。

然而，對手淫的社會制約卻是始終存在的，而且越是專制極權的社會越加嚴重。媒體曾經報導，知名的大陸異議人士魏京生，某次訪問臺灣時與施明德再次見面，這兩位均曾經在各自國內因為政治因素出入監獄多次，住牢房的日子相當長，彼此自有相惜之義。閒聊時，魏京生提到單獨囚禁時的苦悶，尤其是性的苦悶，他問施明德怎麼解決，施答以「雙手萬能啊！」魏一時愕然，經施略加解釋後才恍然大悟，施頗感奇怪地反問：那你們如何處理呢？魏回稱：當時我們那裡知道有這一招！不自由社會體制強加於人的壓抑，叫人感歎。

比起男女肌膚廝磨的性交，手淫具備更廣闊的想像空間，畢竟男女親密之際，本能的肢體動作遠多過腦力的幻想，兩者兼擅很不容易。在某一意義上來說，想像可能是手淫的精華之處。一般來說，手淫不難達到「自我釋放」的功能，但要如某些性研究者所宣揚的「自我表達」，則不是輕易可至的境界。顯然，適度的手淫並不傷身，更重要的，絕不傷及他人。在目前天主教傳教士性騷擾案件造成巨大道德疑惑的陰影下，給手淫更多機會，說不定也是處方之一。

——《美中新聞》，2002年5月10日

利他是萬惡之源
——淺述愛恩・蘭德女士的生平與思想

　　最近在C-SPAN電視台看到關於愛恩・蘭德女士的記錄與評論（係美國重要作家系列之一，該系列介紹五位作家，筆者於八月廿六日所見，似為重播），過去讀她著作的經驗，又重回腦海，雖則限於自然律，在歲月的淘洗下，業已模糊多了。

　　時代週刊在一九八二年年底，悼念當年去世的名人（政治人物如蘇聯領袖布里滋涅夫、沙烏地阿拉伯國王、大明星英格麗・鮑曼、亨利・方達、葛萊斯・凱莉，名作家約翰・奇弗、詩人艾其伯・麥克里希等，見該刊同年十二月廿七日四七頁），愛恩・蘭德Ayn Rand列名其中。簡短的介紹辭中，時代週刊指出：蘭德女士認為，利他乃係萬惡之源，因為它促成有才有能者為無才無能者而犧牲(altruism was the root of all evil, since it involved "the sacrifice of the competent to the incompetent)。這是本文標題之由來。

　　蘭德女士一九〇五年生於俄國猶太裔家庭，一九二六年隨父移居美國，她從小立志當作家，由於親身目睹俄國共產革命的爆發，同時經歷極權專政的血腥統治，據她自述，自十二歲起，便已思想啟蒙，成為堅定的反共人士。當時正逢一九一七年俄國大革命，她首次聞知共產主義的原則——即人必須為國家而存在，立即認識到這是根本問題，而這一原則乃是邪惡的，不管採用什麼方法、細節、政策、教條，或者有多麼美好的許諾、多麼虔誠的口號，它只能導致邪惡的結果，這是她一生反對共產主義的理由。

　　小說是蘭德女士賴以成名的文類，也是她有一段時間成為好萊塢

編劇的敲門磚，但她顯然是理念型的小說家，也就是說，她所寫的小說作品，全都旨在傳達她個人的理念。簡言之，她一生的著述，可以大別為兩類，一是小說，一是理念闡發的評析文章，但一以貫之的則是她獨特的哲學思想，甚至不無自豪地宣稱，因為她不能任意接受既有的思想體系，所以必須自行締造自己的一套。

就小說言，她出版過 *We the living, Anthem, Atlas Shrugged, Fountainhead* 等書。後兩部相當出名，經常被列為二十世紀的重要著作，尤其改編成電影成績不凡，更是轟動一時。第一部則是她抵達美國以後，在尚未充份掌握英文文法以前，便動筆寫作，描述本身的生活體驗，但她始終表示，她所寫的乃是有關極權暴政——任何極權暴政非獨蘇聯——的故事。一九五八年十月，她為此書新版寫的新序，自承此書最接近她的自傳，情節雖屬杜撰，但背景則非杜撰，小說中女主角的觀念、信念和價值實即作者本人所擁抱的，因此知識意義上乃是最近於自傳的作品。

事實上，從一九五〇年到一九七〇年代，愛恩‧蘭德是美國知識界極具影響力的少數女性之一，除了組織宣揚理念的知性團體並發行通訊信函外，集結成書的著作計有 *For the New Intellectual, Capitalism: the Unknow Ideal, The Virtue of Selfishness, Introduction to Objectivist Epistemology* 等。最後一部遠較技術性，即從哲學認識論立場以發揚她所主張的客觀主義。其餘三本則為論文集，第一部是引介她晉身知識份子圈的入門之作，比較廣為人知的則是《資本主義：尚未被理解的理想》與《自利之為德性》，這兩本書書名就頗具挑戰意味，而她則是有意從道德立場上來說明資本主義才是唯一合乎道德的體制，自利本身才是德性。而這類觀點，同時也出現在她的小說中。

值得重視的是，蘭德女士的著述及思想，並不及身而逝。她的作品至少被譯成二十種以上的外國語文（據個人所知，臺灣譯有《一個人的頌歌》，但筆者迄未讀過）。最重要的，她的小說與評論，目前市

面上依然買得到，拍成電影的錄影帶還借得到。南加州柯弗市設有愛恩·蘭德檔案館，工作的人員有二十餘人，一個完全私人性的紀念館，有此規模並不容易。在她的門徒中，最出名的當然是現任美國聯邦儲備銀行董事主席亞蘭·葛林斯潘，他的一句話，目前幾乎可以使股票市場產生立即回應。葛林斯潘在《資本主義：尚未被理解的理想》全書二十四篇文章中，佔有三篇，僅次於蘭德女士本人。從政以後，葛林斯潘的昔日盟友似未惡言相向，只是期盼他多朝「取消管制」的方向有所貢獻。

在思想的光譜上，由於蘭德女士是徹底的無神論者，因此與美國的保守派，尤其近二十年的宗教保守派，並不很搭調，以墮胎爭論來說，她的門徒比如其法定繼承人Leonard Peikoff 教授，就公開反對宗教保守派的反墮胎立場，認為尚未出生的胚胎只是母親體內的一部分，不能否定母親的選擇權利。保守派的反共，自與蘭德的反共一致，但她最強調的乃是「個人對抗國家」（Man Against the State），本乎個人主義理念，對他人之施行暴力，是她至表痛恨而亟思予以防止的終極關懷，沿著此種思維，則政府的主要功能，當然是在保障個人權利而防範對他人施暴的發生，除此之外，政府管制越少越好。

就國人而言，愛恩·蘭德的思想未必易於入耳，與官方透過公權力的教育機制所灌輸的觀點，差距甚遠，接受起來困難倍增，即使接受其中一部份，終究不免感受到自己跟周遭的思維架式格格不入，而生絕大的孤立感。但從人性及其發展，由歷史事件的結果來觀察，則要斷然否定她的觀點，也很不容易。所有極權暴政，無不以宣揚犧牲自我以成就所謂的大我為起始，其所造成的罪惡之大之廣，事實上無從否認。即便一時難以接受利他無我為罪惡之源，至少知道人間有愛恩·蘭德這等思想，也許可以萌發些許啟蒙之功。

──《美中新聞》，2002年8月30日

心靈豈可工程

作家不是心靈工程師

　　一位日理萬機的國家元首，願意應邀參加中央日報舉辦有年的「作家新春聯誼茶會」，並且當場隨喜講了四十分鐘的話，這本身就是很有意義的一件事。

　　仔細一讀再讀李總統登輝民國八十四年二月十一日的致詞全文，第一個印象是：雖非本行，但造詣甚佳。當然這是總統個人的興趣與學養有以致之；第二個印象是：總統的視野非常開闊，關切的方面至為周全，身為國家領導人，理想上是應該胸懷中外、觀照古今；第三個印象是：這次講話，即興發揮的地方很多，似乎不是全照幕僚預備的文稿來宣讀。正因為這樣，少數文句有欠清通。但讀畢通篇，令人感受到他對作家的鼓勵與期許，至屬殷切；而絕少文藝政策宣示的意味，尤其不是去限定作家應該如何寫、寫什麼以及站在什麼立場寫。與一九四二年五月毛澤東〈在延安文藝座談會上的講話〉，性質完全不同。第三點含義深遠。名作家柏楊認為，這是摧毀「婆媳文化」的惡性循環，可謂身受其害者的見道證言。文藝的獨立與自由，今後必當益形鞏固，這真是值得慶幸的事。

　　不無遺憾的是：李總統仍然隨俗使用且強調了「作家是人類心靈的工程師」的說法。不久前，行政院政務委員黃石城來紐約參加北美地區華文作家協會年會時，致詞中也用了同樣的一句話。稱作家是人類心靈或靈魂的工程師，始作俑者似為蘇俄的史達林（一說高爾基）。未知何故，這句話在中國特別流行，不分政治意識與黨派，幾已成為普遍認可的定義。大家往往不假思索，每一提到文學或文學家，總要殿以工程師來形容。

「作家是人類心靈或靈魂的工程師」，這句話之所以有待商榷，不是因為它出自某某人，而是因為它所代表的心態。自從社會科學界出現所謂「社會工程」的說法以後，將「工程」一詞適用到人文與社會現象，竟然日趨時髦。經濟學受到工程心態的影響最早也最多，政治學論文中亦不時出現「政治工程」的提法，而最近則連藝術界也有「美術工程」的說法，工程或工程師心態實已跡近泛濫。

工程師心態的特點之一，乃是對於可用資源有相當程度的控制與支配能力。為了達成工程上的目的，事先可以擬訂計劃，實施進程可以預做藍圖，就物質的控制與支配而言，理論上是可以完全掌握的。但即使是純工程的目的，一旦添進人的因素──因為物質還是得由人去使用，則精確性必然大打折扣。從這個角度看，人由於具有自主意識，實在不可能成為十足的工程對象。因此，雖然師法自然科學與工程心態的傾向頗為強烈，但在經濟與政治等社會科學界，至少數十年來還有周德偉、邢慕寰、夏道平等，不時提出異議。相形之下，文學界的反應似乎不夠強烈。

文學、藝術、音樂等心靈活動，乃是人的行為當中最不應受到控制的領域，所以唯有在自由的環境下，文藝才能滋盛。文學家就他所運用的工具或選擇的題材而言，在創作的歷程中，他可以是文字和情節的工程師。如果說文學大體上是人性與人生的觀照及呈現，則文學家只能去挖掘人性、體會人生，而不應該成為人性或人生的工程師。而對讀者或後世的人來說，文學家和他的作品，只能是世人靈魂的滋養，不可能也不應該變成人生的藍圖。靈魂是不可以「工程」的。

依循上面簡述的理路思考，則「作家是人類心靈的工程師」這種說法，不啻是政權設法掌控人的思想的手段，究極而言，乃是反自由的，也即是反文學的。

當然，一般人在搬用這句話時，絕大多數是隨俗套引，可能不會

想得這麼深入。但對社會領導人物而言,便應該多一分慎思明辨的功夫。減少對文學與文學家的誤解,其實就是對他們的一大激勵。

　　　　　　　　　　——《美中新聞》,1995年3月31日－4月6日

從小學生作文談起

　　耶誕節假期，抽空瀏覽北京師範學院出版社出版（一九九〇年四月北京二次印刷），由北京市「小學作文指導大全」編寫組編的《小學作文指導大全》一書，該書第一六六至一六七頁，列有記事文範文賞析〈下雨了〉一篇，讀後引起不少聯想和感想。茲將該文主要內容轉錄如次：

　　　　益國跑到操場的盡頭，仰著頭在旗杆下打轉。原來，旗杆上的國旗在雨中飄揚。益國想去把國旗降下來，用手去拉旗杆上的繩子，個子矮，夠不著，轉來轉去，最後跳到旗杆旁邊的水泥台上才拉住了旗杆的繩子。益國急急忙忙的解開繩頭，把繩子往下拉。風大，國旗被吹得呼啦呼啦地鼓起來。益國身子瘦弱，拉得汗水和雨水混在一起順著鼻樑往下滴。一下，兩下……國旗終於降下來了。……小華問益國：「為什麼不叫我一聲？我有傘呀，淋雨要生病呢！」益國說：「我們是少先隊員，怎能讓國旗淋雨呢？」益國收好國旗，像捧寶貝似的把國旗抱在懷裡，跟小華一邊走一邊又說：「只要國旗淋不著，我淋點雨怕啥！」

　　　　雨還在下，他倆向少先隊大隊部走去。益國手中捧著鮮紅的國旗，他倆脖子上掛著鮮紅的紅領巾，象燃燒的火圈，映紅了他們的臉膛。

　　的確，這篇短文的描述相當生動而有力，誠如編寫者在簡評中所說：「表現了少先隊員愛國旗愛祖國的好思想。」（按少先隊應係少年

先鋒隊）然而，問題也就出在「好思想」上，正因為重點在此，反而使這篇作文實在不像是一個小學生的作品，反而像是上級領導用心製作藉以調教少年「好思想」的樣版。此處這樣說，並不表示只有「大狗叫，小狗跳」「我家後院有山坡」「媽媽慈祥美麗的臉孔」一類的句法，才算是小學生該寫的句型，小學生往往不像我們成年人所以為的那般幼稚。

其實讀到這類的範文，總是有似曾相識之感，而且勾起些許少年時代的回憶。在臺灣讀小學時，政府大力推行四維八德等傳統道德條目，同時更熱衷於灌輸愛國思想，一些歷史性的故事比如戰國時代愛國商人弦高退敵兵；宋朝名將岳飛的母親在他背上刻「精忠報國」四字，降及現代如愛國女童軍楊惠敏冒生命危險，把國旗送給上海死守四行倉庫抗日的八百壯士；甚至也包括一些外國故事，荷蘭低地某村落，有位小孩看到堤防有漏洞，以自己的身體去防堵；這些故事，長大成人以後都還記得。但隨著年歲與閱歷的增長，對這樣的教育方式，卻不無懷疑。

基本上，「愛國」，乃是人從自身熟悉的小環境，如家人、鄰里、故鄉，擴大到整個國家社會的感情流露，順乎自然即可，世界上大概也沒有那個國家會去提倡「不愛國」。但是，刻意去提倡，則有可能產生依政治意識或政權意志而扭曲的流弊。何況，中國式的愛國教育總是不忘要人犧牲自己，而去成全國家意志，實在值得商榷。

回到前舉〈下雨了〉範文為例。很顯然，文中是把國旗視為絕對不可冒犯褻瀆的神聖象徵，愛國旗等於愛國家。但這樣的思路毛病甚大，推向極端必然走向集體的狂熱心態，而這種情況確曾生過。毛澤東的畫像、毛語錄也曾經是神聖的象徵。文革期間，不慎摔破毛主席的畫像，或是把印有毛主席字樣的報紙拿來包鮮魚或擦屁股，這可是嚴重之至的「反革命」罪行！此地不妨反問一下：為什麼國旗不可以

淋雨？淋了雨又怎麼樣？或者借用文中另一個小朋友小華的話「淋雨要生病呢！」到底是兒童的健康重要，還是國旗乾重要？

　　且容本文假設如下一個場景：偉大崇高的革命領袖，在某次決定性的重大戰役前，突然狂風暴雨不止，集合場升旗台上的旗幟（後來革命成功後成為國旗），辟吧作響，被雨淋得萎靡不振，隔不多久，陽光再度出現，這時那面旗幟顏色更加鮮麗，強風一吹，飄動飛灑的姿態，尤其富有生命力，領袖精神為之提振，於是揮軍直搗敵部，凱旋而歸。事後秉其如椽巨筆，追記旗幟承受風雨摧殘，在壓迫中更顯風采，這是何等偉大而感人的革命啟示。追隨他的部下讀到這篇宏文，人人莫不動容，於是頒行全國，變成課本裡頭的教材。請問，如果此一假設成立，那麼文首所舉的〈下雨了〉，還能成為作文的範文嗎？

　　已故散文大家吳魯芹，在一篇名文中追憶好友夏濟安的種種趣事，其中提到當時身為臺大外文系教授的夏濟安，苦苦要求吳家就讀小學五年級的女兒，讓他代寫作文，有時甚至向小朋友行賄買糖才得再試身手，結果做了三次都是丙上，反而不如吳家女兒原有的成績。這項打擊，使他惶惑了一陣子，他自信模仿小孩子的口吻、想法，都模仿得夠像，何以小學老師不會欣賞？後來他把小孩的作文簿，從頭細讀一遍，發現成績較好的全是大人氣味較重的文字。夏濟安感慨之餘，曾經表示該寫一篇〈從小學生作文談起〉的文章，但他怕得罪教育家，只好作罷。

　　事隔四十年，不才竟膽大妄為使用同一題目草寫此文。擲筆之前，不禁三歎：小孩子能否不必借助於鮮紅國旗和領巾的襯托，而顯露自然紅潤的臉膛？除了犧牲痛苦之外，能不能讓大家自動自發、快快樂樂地去愛國？

——《美中新聞》，1998年1月2日

女士愛讀言情小說

　　男女之間的差異，表現在很多地方，嗜讀小說的門類不同，就是其中之一。

　　最近臺灣公共電視台所製作的連續劇「人間四月天」，引起非常熱烈的迴響，重播三次，欲罷不能。這部以近代名詩人徐志摩一生的愛情曲折為主軸的戲，縷述他與張幼儀、林徽因、陸小曼三位女士的情愛糾葛，不僅創下極高的收視率，而且引起文化界廣泛的討論。這股熱潮還蔓延到海外，美國世界日報近來不斷有談論這幾位男女主角的文章出現，再次說明了情和愛確實是人世間永恆的話題，歷久不衰。學生時代，頗有一些朋友讀到徐志摩的自述：「我將於茫茫人海中訪我唯一靈魂之伴侶；得之，我幸；不得，我命；如此而已。」竟為之激動不已。尤其是「得之，我幸；不得，我命」這兩個簡短的句子，特別能夠撩撥少年的情懷。

　　在臺灣成長的青年，早期在學時恐怕有不少人讀過金杏枝、禹其民的言情小說，甚至包括民國初年大陸出版的張恨水的小說，後來瓊瑤的《窗外》出版以後，數十部小說源源不斷地出自她的筆下，瓊瑤變成通俗愛情小說界的霸主，也是臺灣少數完全依靠寫作維生及致富的職業作家。通俗小說的另一大類則為武俠小說，偵探推理小說聲勢稍遜，香港的金鏞與臺灣的古龍，幾幾乎乎就是武俠世界的兩大盟主。然而，即使是武俠小說，還是免不了男女談情說愛的佈局，而且幻想出來的高深武功和打鬥招式，未必會比其間穿插的曲折愛情更動人。

　　大體上講，女性愛讀言情小說，男性偏好武俠小說，當然這一區

分絕非楚河漢界，不可踰越，跨界而讀的例子為數不少。另外一個值得重視的現象，則是男性閱讀小說的生命期較短，多數人離開校門進入職場後後，便不怎麼會去購買翻閱小說；女性則不然，閱讀小說的生命期自少及老。因此，言情小說的作者和出版商，自然會以女性讀者為主要的市場。

西洋的流行文學界，以剛剛過去的廿世紀為例，依個人極其有限的知識，覺得有兩位作者值得一提。一位是已故法國作家奚孟能 Georges Simenon，此人文才便捷，任何體製的小說都寫，常常是把一名平凡的人物，置諸於突發而超常艱難的處境，藉此舖陳情節的發展和小說人物的心境變化。他跟許多男士一樣，喜歡誇耀自己的性能力，自稱平生與數千名女士發生過性行為，連回憶錄也叫做 *Intimate Memoirs*（法文原名 Memoires intimes），引人遐思。相形之下，瓊瑤的自傳標題為「我的故事」，真是老實多了。

另一位是英國的卡特蘭夫人 Barbara Cartland。她是黛安娜王妃的外祖母，被稱為「小說工廠」。卡特蘭平素穿著雍容華貴、珠光寶氣，有次在電視上看到她接受訪問，的確如此。她跟奚孟能不同，獨沽一味，只寫正派的言情小說，所謂正派即是女主角必為處女，在正式結婚前絕無性行為。她在工作季節，每星期可寫一部小說，盛年時期僱用四名秘書，一個月出版兩部小說，或許由於中西書寫工具與方式有別，奚孟能、卡特蘭的著作數量均高達幾百部或近千部，一生作品銷售量則以幾億本計。中國小說家包括言情與武俠作者，著作超過百部者遠較罕見。

美國的情況同樣值得參考。依美國言情小說作家協會（會員八千二百人）一九九九年六月公佈的調查統計，以一九九八年為例，美國有三千七百九十萬女士，每人至少讀過一本言情小說。該年出版的此類小說共達一九六三部，其中當代言情佔百分之五十二，歷史言情佔

百分之卅二，未來或魔幻言情佔百分之六，宗教啟示言情佔百分之六。個人不無意外的是，讀者婚姻狀況，已婚者高達百分之五十七，單身廿三，寡居者十三，離婚者只佔百分之七。以學歷論，百分之六十三不具備大學學位，四成沒有在家庭之外工作，六成住在五萬人以下的小城，而白人竟高達百分之七十七。當然最重要的還是市場佔有率，平裝本小說類中，超過一半屬於言情小說，如果把精裝本也算進來，言情小說仍佔全部小說市場的四成。美國成人所購買的書籍中，幾乎每五本便有一本是言情小說。（統計取材自時代週刊二〇〇〇年三月廿日第七六至七八頁）

如果對美國言情小說全無所知的人，其實只要走進任何一家超級市場，到雜誌書籍部門一站，凡是封面為俊男美女，男士肌肉發達，女士妖嬈多姿者，大概就沒錯，目前最大的出版商為 Kensington Books。不過言情小說雖然市場這麼大，但一般文化界並不重視，學界可說近乎視而不見，書評家則多有鄙夷之色，對言情小說最尖銳的攻擊，甚至屢屢出自學界的女性主義者，她們認為愛征服一切的情節，根本是開倒車，利用愛情來綑綁女性。反而像奧秘、驚嚇、恐怖、科幻等型的小說，較少引致類似的攻擊，不過話說回來，這些小說吸引的主要還是男性讀者。

其實，市場佔有率代表的就是選擇－女性在閱讀領域的選擇，既然不是被強迫的自主行為，它便說明了言情小說滿足了女性日常生活中的精神需求，文化學術界的刻意忽視，無助於增進對女性的理解，而有劃地自限的嫌疑。

——《美中新聞》，2000年4月28日

且容魯迅下神壇

多年來間嘗翻閱魯迅的著作，以一個非文學專業而只是普通讀者的身分，總認為他可傳的作品乃是短篇小說，至於他名噪一時的雜文，評價反而沒有那麼高。

魯迅的雜感，文字功力當然是凌厲無比、辛辣尖刻，少有人能及，洞悉並舉發中國人和傳統文化的陰暗面，非常深入而形象化。但做為戰士的魯迅，在猛烈攻擊與他不合的人和事，隨著銳利的辭鋒耍弄，自身人格的缺失甚至病態，也不覺透露出來。對英國文學造詣頗深的陳源（西瀅），誤信他人之言，以為魯迅所著《中國小說史略》，係抄自日本學者鹽谷溫，為此魯迅一生忌恨陳西瀅，筆下「教授」、「正人君子」，長年以侮辱的含義封到陳源頭上。兩人雖屬無可調和的論敵，至少陳源還能說出：

> 我不能因為我不尊敬魯迅先生的人格，就不說他的小說好，我也不能因為佩服他的小說，就稱贊他其餘的文章。我覺得他的雜感，除了「熱風」中二三篇外，實在沒有一讀的價值。

固然魯迅也把這段話編入《華蓋集續編》，但與他不斷攻擊陳西瀅的文字對照，相形之下，兩人人品還是有高下之分的。

當然，類似這樣的評斷，實在很難見容於中國大陸。中國共產黨長年力捧魯迅，造神運動把他形塑成只能頂禮膜拜的一尊神像，餘威肆虐至今。始作俑者乃是毛澤東於《新民主主義論》中的定位：

魯迅是中國文化革命的主將，他不但是偉大的文學家，而且是偉大的思想家和偉大的革命家。魯迅的骨頭是最硬的，他沒有絲毫的奴顏和媚骨，這是殖民地、半殖民地人民最寶貴的性格。

魯迅在文化戰線上，代表全民族的大多數，向著敵人衝鋒陷陣的最正確、最勇敢、最堅決、最熱忱的空前的民族英雄，魯迅的方向，就是中華民族新文化的方向。

毛澤東不吝以最高級形容詞來讚揚魯迅，這段話不僅幾乎是中國大陸每一個研究魯迅的人所必引，而且成為官方的定位，不可踰越。最近大陸文化界因魯迅的評價問題所引起的爭議，應該說就是犯了這一禁忌的原故。

由中國作家協會主辦的文學刊物《收獲》本年第二期，刑登了馮驥才、王溯、林語堂（舊文重刊，魯迅去世後林氏一九三七年所撰〈悼魯迅〉一文）貶損魯迅的文章。此地只討論目前當紅的小說家王溯的看法。不久前因為批評武俠作家金庸而導致文壇大譁的王溯寫道：「我認為魯迅靠一堆雜文幾個短篇是立不住的，沒聽說有世界文豪只寫過這點東西的！」並進而解釋稱：「我堅持認為，一個正經作家，光寫短篇總是可疑，說起來不心虛還要有戳得住的長篇小說，這是練真本事，憑小聰明雕蟲小技蒙不過去。」王溯的觀點與前引毛澤東的定位，差距何其大！

其實，魯迅早有自知。一九三二年四月廿九日夜，魯迅編《三閑集》，特將〈魯迅著譯書目〉附于卷後，有感而發地寫下這麼一段話：「我確曾認真譯著，並不如攻擊我的人們所說的取巧、投機。所出的許多書在出版界上，也就是不小的一塊斑痕，要一腳踢開，必須有較大的腿勁。但是，我的創作既因為缺少偉大的才能，至今沒有做過一

部長篇；翻譯又因缺少外國語的學力，所以徘徊觀望，不敢譯一種世上著名的巨制。後來的青年，只要做出相反的一件，便不但打倒，而且立刻會跨過的。」文中有自信之處，如說要較大的腿勁才能踢開他；但也自剖創作上無長篇、翻譯上無名著，而有遺憾之感。

談到翻譯，似乎不能不提一件事；當年梁實秋看不慣魯迅的翻譯體例，曾撰文加以批評，引來魯迅的反擊，尖酸刻薄兼而有之。中共當政後，梁實秋成了著名的反面教材。然而，經過幾十年時間的檢驗，論戰雙方誰是誰非，已經相當清楚，梁實秋譏為「死譯」、「硬譯」的方式，今天還有人這麼做嗎？而這又不免使個人想到魯迅作品的價值。在他的著作中，《中國小說史略》、《小說舊聞鈔》，確實是開山力作，自應肯定。但魯迅為數眾多的雜文，坦白講，實在沒有多少知識性，當亦無從否認。

依個人管見，由於受到意識型態的牽絆，大陸固然力尊魯迅，但中國的學者作家，為了怕引火燒身，有關魯迅的研究，根本就未能繼承他反抗現實的精神。去年讀一九九八年十月出版的《毛澤東與魯迅》一書，作者易嚴似乎只是採用比較合乎學術要求的形式，讓歌頌穿上學術的外衣。相對而言，居處海外自由環境的學者如夏濟安、李歐梵、周質平等人，他們研究魯迅反而更精深可信。這次中國作家協會主辦的刊物，終於刊佈了批評魯迅的文章，雖說惹來質疑與不滿，但這或許是請魯迅步下神壇的第一步。

五十年來，大陸多次挑選中國重要作家，不論是偏重影響力或喜愛度，魯迅經常是首選，他的偶像地位，顯已屹立不搖。不過作家的生命寄託於其作品，作品乃是供人閱讀的，要跟後世產生互動，必須借助於讀者的聯想比較。魯迅當然是充滿戰鬥性和現實感的，「只要我還活著，就要拿起筆，去回敬他們的手槍。」大陸的出版品在引述魯迅這句話時，總不忘提醒讀者「他們」指的是「國民黨」。但在現

實上，如今共產黨已進步到用坦克對付民眾，又作何感想？容本文再引「熱風」中魯迅寫的話，以供留居海外來自中國的人去思索一番：

暴君的臣民，只願暴政暴在他人的頭上，他卻看著高興，拿「殘酷」做娛樂，拿「他人的苦」做賞玩，做慰安。

自己的本領只是「幸免」。

從「幸免」裡又選出犧牲，供給暴君治下臣民的渴血的欲望，但誰也不明白。死的說「啊呀」，活的高興著。

——《美中新聞》，2000年6月30日

從文革餘孽到文化口紅

——中國大陸文化人心靈痛史的一個剖面

　　最近十年來，中國大陸著名作家與文化人余秋雨的著作，不僅暢銷臺灣海峽兩岸，而且影響甚大，臺灣高中國文課本開放由各家出版社自行編印，當代大陸作家被選入者，余秋雨的篇數最多。如把這種普遍受到歡迎的現象稱之為文化流行，恐怕不算過分。

　　依個人相當有限的閱讀經驗，臺灣背景的學者與作家，對余秋雨大都讚賞多批評少。《文化苦旅》、《山居筆記》初於臺灣面世時，大家在驚喜之餘，似乎均不吝給予掌聲；遲至今（二○○一）年三月，臺北《國文天地》月刊推出〈風雨余秋雨〉專輯，臺灣作者的部分，依然是以賞析為主調。出身臺灣的名小說家歐陽子女士，光是就《文化苦旅》一書，至少便寫了三篇「賞讀」長文，分別登載於中國時報、聯合報和中央日報副刊，而這還僅只是個人海外閱讀之所及罷了。

　　批判余秋雨，主要來自中國大陸的知識界，尤其是最近幾年，火力之兇猛，言辭之犀利，幾乎使他成了過街老鼠，遭逢人人喊打的局面。這並不是官方有意推行的運動，因此不妨把批判余秋雨的個例，當成中國大陸文化人心靈痛史的一個剖面，稍事評析。

　　被批判的余秋雨本人，身歷此種極熱與極冷的兩極煎熬以後，難免興起不如封筆的慨歎，無寧是人情之常。照欒梅健教授的說明，面臨學界與讀書界對他的杯葛和批評，余氏的第一個反應是別人「嫉妒」他；其次，則是指責盜版集團在搞鬼，為了圖利，大肆污蔑攻擊他，讓他不敢採取法律告訴的行動；復次，則是於二○○○年一月二十一日的《文學報》上，發表公開信，反駁攻擊，並藉以澄清輿論界的誤

解及責難。

　　瀏覽過批判余氏的文字以後，筆者的總印像為：先是挖掘並確認余氏於文化大革命期間的言行，進而責難他不肯也不敢懺悔。名作家李國文寫出〈猶太之悔〉，不具名地指出「……作學者狀，作泰斗狀，作指點迷津狀，在鏡頭前作搔首弄姿狀，就是沒有一個敢回過頭去，審視一下那段『不幸』成為小人的路。」余開偉在〈余秋雨是否應該反思〉中，雖然提到誤上賊船不可深責，但仍指斥「余秋雨教授沒有反思和反省的勇氣」。學者謝泳於〈正視自己的過去〉文中，就其長年隱瞞文革的事實表達不滿。張育仁〈靈魂拷問鏈條的一個重要缺環〉文中，要求余氏「把自己的靈魂曝曬在陽光下，最終在懺悔和鞭撻中遠離惡醜擁抱真善美。」

　　不過，最猛烈的砲火則屬余杰〈余秋雨，你為何不懺悔〉。此文具體陳述余秋雨效力文革時期上海的《學習與批判》雜誌，由張春橋、姚文元所控制的上海寫作組直接管理，上海的御用寫作班子以「石一歌」（大意為十一人）為筆名，余秋雨積極主動參與，成為其中最年輕而有培養前途的革命青年。余杰認為，「對過去的事情持一種什麼樣的態度，比事情本身更加重要。」令人遺憾的是，「余秋雨先生斷然選擇了遮掩和偽飾。」甚至引用魯迅的說法，表示余秋雨兼具了「才子氣」與「流氓氣」，並且青出於藍而勝於藍。

　　余秋雨的回應，就是前面提及的〈余秋雨的一封公開信〉，副標題為「答余杰先生」。首先辯白自己絕非文革餘孽，並非文革中的「槍手」，具體說明了參加寫作組的經過。雖然余氏指出，把「石一歌」說成是他，乃是不對的，但他也提到：

　　　　一九七六年「四人幫」剛垮台不久我倒是戲劇性地用過一次「石一歌」的名號。在那最緊張的十月，有一個魯迅代表團要去日

本訪問……原定的團長是寫作組負責人朱永嘉，但他的問題嚴
重……上海警備區司令周純麟少將臨時掌管上海大局，派了兩
位先生來找我，說從一些幹部子弟那裡知道我的思想傾向，要
我隨團出去起「阻止」作用，一是阻止朱離隊出走，二是阻止
朱離開講稿發言，並規定代表團一切講稿都由我起草。……

這段余氏的自白，實在很有意思。令人驚奇的不是中共派團到外
國，對團長不但不信任，反而還要暗中安排人看著他，畢竟這是中共
政權的慣常手法。個人覺得有意思的乃是：約一年前，好友告知有人
批評余秋雨的散文其實就是「文化口紅」，當時聽了只感到這一評語
有些不敬，不過可也相當生動，但有更具體的解說嗎？讀了上述自
白，才略有所悟。說穿了，余氏加入訪日團，其實是在從事「監視」，
類似充當「奸細」的行徑。但在文人筆下，卻用「阻止」一語帶過，「文
化口紅」，此之謂歟！

在余秋雨的寫作生涯中，一九七四年發表的〈胡適傳〉，恐怕是
無法抹掉的污點。〈公開信〉中，他明白指出當時讀不到胡適的任何
書，只能摘抄解放後那八本《胡適思想批判集》，「這樣的文章對胡適
先生當然是不公正的」。但白紙黑字明明印著，「一個帝國主義者日夜
期待的『人材』，跨出了第一步」（形容胡適赴美留學）。對回國後的
胡適（一九二二），其評價是：「他似乎已經不是一個『提倡白話文』
的『學者』、『教授』，而成了一個炙手可熱的政客。為了替帝國主義
服務、替北洋軍閥打『強心針』，他幾乎不加任何掩蓋了，什麼樣露
骨的論調都能發表，什麼樣反動的口號都能提出，什麼樣腐朽的力量
都能勾結。」對胡適於回國海輪上作的「見月思故鄉」，余秋雨的分析
竟是「胡適差點說出了『我不是中國人』這句話。」這豈止是不公正，
而是沒有學格與文格。

文革，其實是對一般人性的犯罪與施暴。但像筆者這樣從無大陸生活經驗的人，頂多只能就一個觀察者的角度去感同身受，多少含帶某種較為寬恕的眼光，說不準還是一種「鄉愿」。受到文革污染的大陸文化人，除了極少數以自家性命去抗拒者外，有誰在記錄上是清白漂亮的人物？跟大多數讀者一樣，個人頗為欣賞余秋雨的文化及歷史散文，整體言，余氏的成就和貢獻，不宜抹殺。身歷文革浩劫的非漂亮文化人，互揭瘡疤，旁觀起來總有點滑稽。但對已無文革體驗的年輕一代，既無包袱，遂可省掉自辯的麻煩，顧忌少可能也就氣壯一些。

不知道余杰是不是年輕一代，但他自陳「不放過」余秋雨的根本原因，則是值得大家省思的。他說：「假如所有的中國人都不懺悔，那麼中國的自由和正義只存在於『過去』和『將來』。假如我們都像余秋雨先生那樣失去了對苦難的記憶、對罪惡的記憶、對責任的記憶，那麼我們所期盼的幸福和祥和的生活便永遠沒有保障。」

——《美中新聞》，2001年6月8日

民主真好

——以開放後的臺灣高中國文課本為例

　　自解除戒嚴法以來，臺灣社會的多元化與開放表現在許多層面，其中報紙與政黨之解禁，受到最早和最多的重視。然而，論及影響的廣泛與長遠，各級學校教科書的編製，更形重要，要塑造怎樣的下一代公民，關鍵在此。戒嚴時期教科書「定於一尊」的局面，已成歷史陳跡。當然，凡是改革或採行新事物，總會產生波瀾及爭論，前幾年國民中學歷史課本的改編，納入較多本土題材，就曾經引起不少風風雨雨。

　　最近有機會看到臺北《國文天地》月刊二〇〇一年元月號，本期專題談高中國文教材，讀後感想甚多。臺灣高中教材實施「一綱多本」以後，各家出版社致力於國文課本的研發及編撰，過去嚴肅乏味的國文教材，變得活潑生動多了，與課本相配合的輔助教學材料，尤其善於利用新的科技。但百花齊放的結果，卻又使得學校與老師在選用那一家出版的課本時，眼花撩亂難抉擇。同時，教育界對現行「高中國文課程標準」、「審查制度」，仍不無疑義。有鑑於此，該刊遂在去年十二月三日舉辦座談會，邀請六家出版商的編撰人與會暢談。

　　這六家出版分別是三民書局、大同資訊公司、正中書局、南一書局、龍騰文化和翰林出版社。出席的當然是國文教學領域的專家學者，所談內容相當豐富，也提出許多觀察與興革意見，使人對臺灣國文教學的現況有更深入的瞭解。筆者最感興趣的則是：《國文天地》月刊把六家高中國文一至六冊的篇目和作者全部刊出，教材梗概一覽無遺，便於對照比較。高中國文一至六冊共計八十三課，這六家出版

商在選材上有同有異。個人曾經花了一段功夫仔細閱讀,在古文部分,唐宋八大家佔頗高比例,尤其韓愈的「師說」,每家都選入,蘇軾、王安石也常出現,不過古文部分與過去的課本差距較小。差距較大的則是近代和現代部分,以下專就這一部分說些個人的感受。

首先,令人驚喜的是:這六家所出的國文課本中,沒有一家把政治領袖的文章納入。過去的國文課本,總是會選些孫中山、蔣中正的著作,聊資點綴,其實這些東西讀來未必有味,但在當時特殊的環境下,卻又不可無之。這小小的「缺席」,乃是相當值得稱頌的進步。講得嚴肅一些,乃是政統與道統(或學統)各自分立;說得現代一點,則是社會多元化的表現。也因為已有這種民主價值的基礎,各家課本的挑選便充滿自主性,上下古今,大陸與臺灣,範圍廣大自由多了。

其次,則是本土與當代作家的比例增加甚多。以本土言,從日據時代的賴和、橫跨日據及光復後的鍾理和、楊逵,直到現在的年輕一輩作家如林雙不、向陽,課本中的臺灣題材加了許多。當代作家自與本土作家有重疊之處,人數很多,無法列舉。但今天經常出現在報紙上的作家如黃碧瑞、龍應台、簡媜等人,均被選入,現代感比重提昇不少。當代作家中,琦君共有五篇,林文月四篇,余光中的詩和散文高達六篇,選入三篇的則為王鼎鈞、楊牧、簡媜。已故近代名家如徐志摩選入四篇,梁實秋四篇,吳魯芹三篇。其餘被選入兩篇、一篇的作家,涵蓋面寬廣,也多具有代表性,最後一點自係見仁見智。

另外值得一談的是新文學作品很多,現代散文不必談了,現代詩(或叫新詩)被選進的就有二十幾首,其中最受歡迎的應屬鄭愁予的〈錯誤〉一詩,有五家選入。筆者學生時代就會背誦詩中的名句,如「我打江南走過,那等在季節裡的容顏如蓮花的開落」、「我達達的馬蹄是美麗的錯誤,我不是歸人,是個過客……」,這些句子顯然已經傳給下一代臺灣學子了。獲選的詩頗多題目極富想像力和現代味,如

洛夫的〈水墨微笑〉、蘇紹蓮的〈冷熱飲販賣機〉、羅門〈麥當勞午餐時間〉。散文方面，隨手舉幾個例，如葉慶炳的〈我是一隻粉筆〉、余光中〈你的耳朵特別名貴〉、陳芳明〈深夜的嘉南平原〉，既時新又生活化。有的課本也選入「小小說」文類，更是與時代同步。

在過去有一段時間，大陸方面的名家絕難選進國文課本。如今情況改觀，魯迅、冰心、沈從文等皆入選，尤其美學觀念方面，朱光潛、豐子愷各有三篇，宗白華一篇，其中朱光潛〈我們對於一棵古松的態度〉，共有三家出版社選它。當代大陸作家中，余秋雨最受歡迎，他有三篇散文被選進課本。不過，已逝的大陸作家，顯然比當代作家容易入選。

整體看來，這六家所代表的臺灣高中國文課本，古今兼蓄，但現代比例提高許多。現代觀念、鄉土情比重增加，既有〈失敗的價值〉（曾昌旭），也有同性戀的〈那晚的月光〉（白先勇），既有〈蕃藷地圖〉（吳晟，詩），也有〈恢復我們的姓名〉（原住民莫那能，詩）。拿戒嚴時期的國文課本來比較，選材的自由度，觀念的包容性，中國與臺灣的比例，傳統和現代的承接，個人看來，均勝過往昔的教材。公營事業之不如私人企業，連教材的編製都顯現出來。個人忍不住要歎道：民主真好。

——《美中新聞》，2001年3月16日

回憶錄不可信

　　六月初，臺北中國時報刊出一則消息，明確指出，已故蔣經國總統長女蔣孝章及其夫婿俞揚和，已於五月二十八日委託名律師王清峰女士，向臺北地方法院提出自訴，認為前聯勤總司令溫哈熊上將在他的回憶錄中，涉嫌誹謗他們夫婦和俞君之父——前國防部長俞大維先生。這則報導刊出後，海內外華文媒體紛紛加入其中，又是追蹤又是訪問，持續達一星期之久，雙方並透過代理人向媒體陳述己方說明或証據，互有攻防，好不熱鬧。

　　新聞焦點導源於溫將軍的回憶錄。臺北近郊南港中央研究院近代史研究所，早在四十餘年前即模仿美國歷史學界，開始針對中國近代史上的重要人物，進行口述歷史的工作，歷年累積下來的出版品為數不少，溫將軍應該所之邀，而於一九九七年出版口述歷史《溫哈熊先生訪問記錄》。書中第二六二頁有一段記載具體提到：蔣孝章中學畢業後，被送到美國讀書，寄住俞大維家，俞的兒子揚和當時已婚，且有孩子，居然還去引誘人家閨女，把肚子給弄大了。據說，俞大維後來甚至跪下來求他媳婦，要媳婦成全俞家，和兒子離婚。俞先生在自己的傳記裡，把自己寫得像個聖人一樣，其實他有些地方確實不錯，但有的地方卻簡直令人不敢苟同，像他求媳婦那段就沒有寫入傳記。

　　前面節略的這段記載，正是此次訴訟之所繫。依報紙上的披露，俞揚和、蔣孝章夫婦直到今（二〇〇一）年二月，才看到相關文字，讀後頗為憤怒，乃致函溫將軍要求更正及道歉。溫則託請他的女婿立法委員丁守中帶信給對方予以婉拒。但俞揚和接受世界日報記者的訪問則說，溫哈熊的回信不但不願更正，而且語帶威脅，說有很多資

料，所以他們夫婦才決定採取法律行動（見六月八日世界日報A4頁）。蔣孝章對肚子大了才成婚一說，事涉個人名節，特別舉証說明結婚係在俞揚和經美國法院判定離婚後才舉行，並且孩子乃是成婚後九個多月出生的。俞揚和則對其先父遭受詆諆至表不快，認為有損俞大維的名譽。溫哈熊方面卻始終堅持：所做表述均有根據，手中握有「第一手資料」可資証明。溫也委請律師予以反告。

其實，本文無意就這件訟案進行論析，重點是在借這一報導來說明私人回憶的不可信，而這種情況根本是普遍性的，非僅某某人的憶昔思往而已。凡無文獻可徵的回憶錄，絕對不宜輕率視為具有歷史意義的事實。

偶而，閱讀經驗會帶來意外的驚喜，無獨有偶，就在華文報章熱烈報導蔣、溫訟案時，筆者恰好讀到素負清譽的《美國學人》春季號（The American Scholar，Spring 2001），內有一文標題非常醒目──Never Trust a Memoirist 斬釘截鐵的表明：寫回憶錄的人，絕不可信！此文作者Stacy Schiff 撰著關於小說家納巴可夫的夫人之傳記，曾得普立茲獎。《美國學人》所登實為節略，轉載自作者替現代叢書最新一版《法蘭克林自傳》所寫的導言。美國開國先賢班傑明・法蘭克林的自傳，早成經典著作。導言作者當然了解也承認自傳傳主的重要性和貢獻，以及多方面的成就，但她經過嚴謹的核實比對，發現自傳內有很多不實之處，與法蘭克林家人包括他母親的記述不同。自傳中含有許多自我吹噓的地方。作者諷刺法蘭克林「他是隻手締造文明」，進而反問道：自傳裡頭的話可是真的？她認為書中章節乃是高明地建構出來的，缺乏統一性。當然，具備畫龍點睛之妙者，還是在那醒目的標題。

開國偉人的自我回憶，已然如此，其他等而下之尺寸更小的人，豈待贅言？

寫過回憶錄的作者，以及研究回憶錄寫作的學者，經常提到一件事，即事實真相與感情真相乃是大為不同的，後者不時會扭曲前者。舉例言，某年某月某日發生的一件事，對作者產生巨大的心理衝擊，數十年後，心理衝擊的勁道猶見餘波，但事實的經過則已模糊，追憶起來，往往由感情餘波出發進而去安排事件的先後，再進一步去解釋事後的發展或影響，在這種情形下，個人的追憶很容易偏離公共的記錄（假定該事件當時已有可覆按的記錄）。如果對事實真相與感情真相的區隔沒有自覺，那麼就會造成：任何有意生產回憶錄的企圖，必將流於造假。

使問題更趨複雜的還有不少因素。人的回憶常有更改過去的傾向，十四歲時對一些事情的感受和印象，跟四十八歲時回想當時的反應，差距非常大。生活環境的更動，社會價值的變遷，人際關係的重組，在在牽引回憶而令其偏向，二十年前追憶九歲時發生的某事，跟二十年後追憶同一件事，未必百分之百雷同。更何況針對同一件事，當事人甲的感情真相，與當事人乙的感情真相，可能差異極大甚至相左。再以蔣、溫訟案為例：溫哈熊原係蔣經國部屬，俞揚和與蔣孝章的婚事，因俞年長甚多，且有兩次離婚記錄，經國先生又很疼愛女兒，他在初期頗為不滿或不快，看在溫的眼裡，這份不滿成為他日後感情真相的主軸；但就俞揚和言，經國先生對他的誤會如何冰釋然後被接受，才是他感情真相的主軸。二者何其不同。

當然，回憶錄並不是全無價值和用處，但缺乏可靠佐証的回憶錄實在不可信。記住這一點，或許可以省掉很多紛爭。

——《美中新聞》，2001年6月29日

人比國家或宗教珍貴

信任

　　人與人間的相互信任，乃是社會生活得以成立的基礎，也是社會能夠不斷進步的主要因素之一。但在實際的社會生活中，是否臻達相當程度的互信，往往需要定期與不定期的檢查，促請大家注意，否則不進則退的現象確實是會發生的。

　　今年七月三日，中央研究院召開第廿二次院士會議，李遠哲院長在開幕時，以「走入社會，開創國家未來」為題，發表演講，其中特別指出：「社會上有許多不合理的觀念造成社會改革工作窒礙難行，其中最根本的原因是：我們的社會缺乏人與人之間的充分信任，不僅政黨和族群之間缺乏信任，更嚴重的是民眾經常無法信任政府，政府也不曾信賴科學工作者的專業能力。」

　　此地所以引徵李院長的話，並不是因為他的學術地位崇高，民間聲望幾乎無人可比，又頂著諾貝爾化學獎的光環，想「訴諸權威」，而是因為他的話的確深中肯綮，道出了國人最根本的毛病之一，即人與人之間的信任不夠。

　　旅居美國的僑胞，由於置身於西洋文化主流的美利堅共和國，單就個人生活上的體驗，便有許許多多對比的機會，可以顯現中、美兩個社會體系的異同，這些異同之處，有時出乎想像，令人詫異，但也常常反映出華人族群的特性：有些地方值得自豪，但也有不少地方是值得大家深切反省的，中國社會人與人互不信任的情況，就是其中之

一。而這又涉及國人成長的文化背景與社會體制。

恐怕大家都有這個經驗：在街頭遠處迎面走來一位黑頭髮、黑眼珠、黃皮膚的人－內心正嘀咕會不會是自己的同胞，但到了照面時，要麼板著臉孔面無表情的擦身而過，要麼根本把臉別開視若無睹地各走各的，你有你的方向，我的我的方向，就是不會自然而友善地打聲招呼。相形之下，反而素不相識的美國人走過來，極其自然地面帶笑容說聲「嗨！」，然後你也友善地回報一下，這樣的人間不是比較美好一點嗎？

去老美經營的農場採甜豆，主人諄諄告以那些行列的豆子正是採擷的時候，同時以他們的專業知識告訴動手採的訪客，應該挑比較飽滿的豆子，吃起來才甜。一般美國人絕大多數會照農場主人的指示行事，但我們的同胞卻往往不守規矩，偏不去你指定的行列，並且內心裡頭總是認為，飽滿的豆子已經老了，主人才叫大家採，我可不吃這一套，摘嫩的才划算！

主辦過也參加過許多次以留學生、僑胞為主的夏令會活動或類似活動，吃住由美國機構包辦者，一般而言，這些美國人士對我們同胞的不太守秩序及哄鬧，評價並不高，但他們最不以為然的，則是國人在取自助餐的食物時，絕少根據自己的食量選取，而是儘量多拿，寧可吃不完，不可取太少！

不知多少次陪伴國內來美國玩的親友購物，他們的購買能力常常讓長居此地的人產生自卑感。有時買到自己並不喜歡的顏色或尺寸，當然義不容辭地幫他們退換，國內親友包括年輕人在內，他們的反應經常是：可以退嗎？會不會罰款？如果是換貨的話，則心中忐忑，然後輕聲的問你：他們會不會把不好的東西換給你？

以上所舉這些日常生活的場景，說穿了，底層的心裡就是怕吃虧。這種現象，凡有華人的地方大概都存在。近年來，有人研究新加

坡華人的文化心裡，提出「驚輸」（用閩南語唸）的概念，亦即怕輸給人家的心理，在經濟活動的較量上，固然這是促使新加坡競爭力在世界各國名列前茅的動力；但在社會生活上，則演變成怕吃虧的現象，新加坡華人本身也多所詬病。按讀音拼出的「驚輸」英文字，目前正流行於東南亞，變成典型的「新加坡式英語」。若再進一步追索，則在怕吃虧的背後，其實就是不信任的心理在主導。

把視線推廣到範圍更大的領域，許多現象也都多少可以獲得某種程度的解釋。許信良擔任民進黨主席的第一天，當晚便與李登輝總統見面，民進黨許多要角立即譏之為「元帥夜奔敵營」！不管用什麼立場什麼語言來解說，其實簡單一句話，民進黨自己的同志互不信任！政治上的互不信任，又常常進一步演變成「法律或規定不是對我而設」，如果我照規定而別人不照規定，我可就吃虧大了！這次中華隊參加亞特蘭大的奧林匹克運動會，女子壘球隊不守規定多夾帶兩名選手駐進選手村，主辦單位查出後立即把她們趕走，就是「規定不是對我而設」的例子。也因為這樣，國人基本上便有「把別人先當壞人」的思考傾向，甚至當權者也提倡「敵人就在你身邊」，搞得社會上「諜影幢幢」，大家的才智精力過度用在防範自己的同胞，當然有害於整體社會的進步與發展！

環顧世界各國，凡是比較進步，而其自由、民主、法治與人權的水平高的國家，大都是先把人看成好人，彼此之間具有相當程度的互信，只有這樣，人的積極性才有發揮的機會。中國人目前所需要的正是彼此的互相信任。

——《美中新聞》，1996年7月26日

民主與儀式

美國共和黨與民主黨的全國代表大會，已經於八月間順利舉行並圓滿閉幕。臺灣的三個主要政黨，中國國民黨、民主進步黨與新黨，也都分別組團應邀出席大會。這種活動，除了具有建立更良好的公共關係的功能外，對於在民主政治的陣營中資歷尚淺的臺灣而言，應該還有藉機觀摩進而學習的作用。否則，單單是到現場應卯一下，與美方人士握幾次手，參加幾場酒會，和駐外單位及當地僑胞相聚或座談一番，此外精神便只放在觀光及購物方面，那麼這種經費是用非其所的。不少出國訪問的團體，即屬此類。

幸好目前的三黨都有爭取選票的壓力，新聞媒體比過去更能發揮監督的力量，組團「純觀光」的現象已經減少許多。這次民主黨大會在芝加哥舉行，乘地利之便，得有機會目睹三黨代表的言行，也親歷了一場記者會，大會結束後表達三黨觀感的記者會，則從報導中得知，對三黨從事「政黨外交」的實況，有了更進一步的理解。

三黨代表普遍認為：美國的政黨在選舉中以政策取勝，而非以抹黑的手法向對手施行人身攻擊，這是值得國內學習的地方。個人長居此地，觀察美國的總統選舉至少四次，感受卻不像來自臺灣的三黨代表那麼強烈。在選舉中，專挑對手的毛病，抓到對方弱點以後刻意渲染誇大，坦白講，這幾乎是必然隨選舉以俱來的，甚至高層次的選舉如總統大選，從事人身攻擊的實例早已有之，美國開國元勳傑佛遜競選總統期間，婚外情的流言始終陰魂不散，降及現代，類此情事仍然未能完全消除，有時且有變本加厲之勢。抹黑對方與人身攻擊之所以在某些情況下不太嚴重，主要是因為當時這種手法效果不佳所致。三

黨代表此次在這方面印象如此深刻，其實乃是反映了國內選舉太過惡質化，習慣於惡劣空氣的人，呼吸到污染比較不嚴重的空氣，即使談不上完全新鮮，總還是不免多吸幾口，連連稱羨。

在各方人士所發表的與會感言中，個人較為重視民進黨籍總統府國策顧問呂秀蓮的說法。呂女士自然也讚揚民主黨不做人身攻擊，政見生活化等等，她認為國人的民主文化與素養，亟待改進，看了美國民主黨的大選活動後，令她感到「國內政治的粗俗」。最後這句評語，可謂一語道破。呂秀蓮已把症狀說出，此處則想從另一個角度來探討：為什麼會這樣？

民主政治導源於西方，這是人人皆知的常識。在中國的悠久歷史中，雖然不乏聖賢人物發出合乎民主精神的言論與思想，但從來未能形成體系，尤其從未設法予以落實成為制度，大體上講，中國只有民本思想，而沒有民主政治。十九世紀中期以後，西方列強挾帶著物質文明的成就，衝擊神州大陸的古老文明，幾番交手，優劣立見，中國知識份子的醒覺，先是從物質面的船堅砲利開始，繼而瞭解到物質背後的政法、經濟與社會制度，最後更領悟「民主」與「科學」乃是西方文明的主要支柱。單以民主而論，近代史上中國知識份子在這方面的追求，就外在的表現言，誠然是可歌可泣，但實際的成就卻極為有限，甚至有藥方比疾病本身更加有害的情況，共產政權的成立就是例子。國人之追求民主，大都以激烈的心理態度出之，在昂揚亢奮的心智狀態下，或許可以成為革命的烈士，但絕少可能變成民主的奠基人。民主並不需要什麼「鬥士」。

其實，自古希臘早期城邦國家的民主政治開始，以迄其後民主體制在英國的發展，以及美國大革命後的民主演進，其中有一點常為激進追求民主的人所忽略的，那就是民主的儀式意義。目前，許多人都能隨口說出「民主乃是一種生活方式」，有些乖巧的政客，甚至不時

說些「以更多的民主來包容不民主」之類的機靈話語，然而大家應該進一步追問，為什麼民主是一種「生活方式」？主要就是因為在漫長的社會演進歷程中，民主透過儀式而表現，浸久而使儀式內化於一般人的觀念與行為，進而成為整個社會所認可的政治行為模式，這才真正昇華為「生活方式」。孔子在兩千多年以前便發現與強調「禮」（儀）的重要，尤其是在維護社會秩序與政治安定上的功能，孔子之所以偉大，以此。中共文化大革命期間之所以瘋狂攻訐孔丘，特別不放過「克己復禮」，其實在某一層次上，正是反民主暴力對民主觀念的打擊。

三黨代表參加過共和與民主兩黨的大會後，難道看不出其間有共同的「儀式」精神？會議進行的許多細節，其實不折不扣就是儀式。黨代表的投票，甚至一般民眾在大選期間的投票，更是最具體的儀式。「公僕」云云，當然也是強調其儀式上的抽象意義，否則脫開這點，硬是把總統、州長、參眾議員和各級民選官員，視之為「奴僕」，那又何必費錢費事大張旗鼓去競選呢？落選人於獲知自己無望後，照例會向勝選者恭賀，同黨者還會表達支持之意。落選人當時百分之百心甘情願者，應屬有限，而在成熟的民主社會，若不如此做，反而是沒有民主風度的失禮表現，儀式已經內化，這是一個很好的例子。

臺灣的民主政治，依當前的水平來看，自然是「粗俗」不堪，若要真正有所改進，請先從民主與儀式的互為表裡做起。

——《美中新聞》，1996年9月6日

向自殺道別

　　自殺是一股正在興起的時髦風尚嗎？捨身取義是悲壯的，殉道是莊嚴的，殉情是淒美悲絕的，在自我了斷的一剎那，它究竟是生命的完成呢？還是生命的誤用？

　　三月廿六日，加州聖地牙哥市北郊區聖塔菲農場的豪華大宅內，被官方人員發現有卅九具集體自殺的屍體，這群屬於「天門」小教派的信徒，他們的自殺行為震撼了全美國。平心而論，這群信徒不僅自動留下記錄，並且行事從容而井井有條，對自身的選擇有所解釋交待，根據他們自己的話，這些人所脫開的乃是屬於此一俗世的「臭皮囊」，彷彿像是蟬蛻一般，唯有經過一道「手續」，才能晉入更高一層的存在。雖然事發以後，傳播界對教派領導人和一部分信徒，曾經有過一些近乎中傷、渲染和抹黑的報導，但隨即又為其他事實或相知的親友所否定，在最近二十年來發生的宗教集體自殺案件中，這是最平和、最不妨害他人的一宗事例，坦白說，世人很難直截了當地以「邪教」目之。

　　十餘年前，「人民教會」在美國本土幾經遷徙，最後由牧師瓊斯率眾前往南美圭亞那立足，美國國會議員與助理前往調查該教會涉及不法活動的傳聞，結果發生激烈槍戰，眾議員及隨行人員一名被殺，同時「人民教會」會眾九百多人集體服毒自殺，這個極端不幸的事件，曾經轟動全球。兩年多以前，「大衛教派」在年輕派首柯瑞許的率領下，聚居於德克薩斯州韋克市郊，財政部煙酒武器管理局以該教派匿藏軍火，派員前往搜索遂而發生槍戰，其後司法部聯邦調查局予以封鎖包圍，對峙甚久，不得要領，最後竟迫使司法部下令攻擊，「大衛

教派」自行引火焚燒。這兩件教派集體自殺的事件，多少都涉及公權力與極端信仰間的衝突和互不信任，跟這次「天門教派」在性質上頗有不同。

有些專門觀察所謂「邪教」活動的人士指出，「邪教」的發展雖然面貌各異，但仍可歸納出一些概要：例如在吸收新成員時，對外不會擺出高姿態，多以關懷弱者、協助無所依歸者的友善態度出現；等到新人逐漸入殼以後，核心人員或組織即告現身，這時強烈密集的「宣教」正式展開，宗旨在摧毀進而除去新成員的舊有觀念，甚至斬斷他們原本的社會關係；最後則是「鞏固」階段，強調團體的「紀律」，運用種種的方式使成員留在教派內，在某些情況下，不惜以毀滅的恐懼施諸人身，換句話說，其手段已近乎裹脅或威迫，這也是最遭人詬病同時最容易觸犯法律的地方。

「天門教派」與現代高科技結合，但所有成員過的是公社式的集體生活，衣著、髮型、使用的語言和表達時的神態，有其一致性，他們注重內省，因此給外界印象良好。絕少囂張、激烈或極端等不良形象。依前段所述的標準來衡量，「天門教派」的「邪教」色彩並不濃厚。這次該教派三十九人集體死亡的事件，從「自殺」的角度來探討，也許更較恰當。

自殺當然不是什麼新鮮的事。就以中國歷史來說，自屈原自沉於汨羅江起，到江青於獄中自盡，因為政治因素而自殺的例子，史不絕書，尤其在改朝換姓、政權交替而文化價值產生激烈變動的時代，令人浩歎的史例所在多有，明鄭經營臺灣末期，寧靖王及王妃自縊殉明，臺南至今尚存有五妃廟。遠的不提，民國初年梁巨川（梁漱溟之父）和大學者王國維的自殺，乃是文化史上的大事。至於受到政權的無理迫害而自裁者，中國大陸文化大革命期間，不少知識份子何其不幸而走上這一結局。當然，更多的是平凡人物由於感情不諧、家庭不

睦或久病等因素而厭世。影劇界人士無論中外亦不乏自殺而亡者。他如知名的文學家自殺者也代有其人，隨手便可想及芥川龍之介、三島由紀夫、川端康成、海明威和前幾年才離開人世的三毛女士等。至於青年學生自殺者，則社會新聞時有所見。

降及現代，「死亡」本身已經成為一項嚴肅的學問，不久前才去世的傅偉勳教授，更把「死亡學」的概念引入華文世界，類似《西藏生死書》一類書籍的流行，說明了世道人心業已產生相當變化。在這樣一種氛圍下，一九九一年美國出版的《最後的出路》──這部教人如何自殺的書冊，竟能成為暢銷書；密西根州的病理醫師柯倭鏘，更以反傳統醫道的方式協助病人自殺，一再成為爭論不休的議題；凡此種種事例，其實就是在顛覆人類社會對自殺所抱持的觀念和立場。

令人不安的最新發展則是：自殺行為正侵襲社會中最優秀的份子。美國著名明星高中學生自殺的比率，遠高於一般高中，這已經成了常識。成人社會同樣有此徵兆：白宮高級顧問飲彈自戕；海軍上將為傳聞所擾自殺；大公司上任不久的董事長未能達成營利目標，竟於廉價汽車旅館內自盡。最近發生的亞裔高年級大學生自殺事件，全都是品學兼優足為楷模的青年，更是令人痛心不已。

自殺真能當做宗教上的昇華嗎？自殺可以算做是出路嗎？在無以承受的壓力下、在灰色絕望的心田裡，當你決意告別人間時，何不把自殺視為人世的一部分，試著先向自殺道別呢？

──《美中新聞》，1997年4月4日

國家是人創造的
而人則是上帝創造的

　　人比國家重要，乃是個人多年來最底極的信念之一。但在本身成長的教育氛圍中，秉持這樣的信念，卻使人覺得自己彷彿是永遠的少數派，總有孤寂之感。直到今天，每次聽到一些所謂的「愛國歌曲」的歌詞，如像「沒有國，那有家」一類的話語，內心深有反感，但卻很難放言訴說而能期盼獲得國人的共鳴。最近讀到一篇重要的文獻，深得我心，忍不住要設法推介。

　　捷克現任總統哈維爾Vaclav Havel，原是很出色的劇作家，為了反抗共產黨的極權統治，進出監獄多次。一九八九年十一月九日柏林圍牆倒塌，象徵了共產主義的破產，引發了東歐與蘇聯共產政權的消亡。哈維爾雖然健康狀況欠佳，仍然兩度被選為國家元首。但他的重要性，恐怕不純是由他的總統職位所帶來的，主要還是他在國際知識界相當被人敬重，具備極高的影響力。哈維爾發表的文章和演講，經常引起知識界、輿論界的重視，美國的主流刊物不時予以全文披載，即使必需經過翻譯，他的文采燦然依舊很容易為人理解和欣賞，當然，最重要的是他的思考力。

　　此地所擬鄭重推介的，便是哈維爾於今（一九九九）年四月廿九日，向加拿大國會兩院所發表的演講。這篇講詞由Paul Wilson自捷克文譯成英文，登在六月十日《紐約書評週刊》第四、六頁，標題為「柯索伏與民族國家的終結」。事實上，世界週刊六月廿七至七月三日這一期已予以譯成中文，惟本文仍以英文本為根據。誠如英譯者在按語

中所言，北約國家這次攻擊南斯拉夫，捷克雖屬北約一員，但民意對這次戰爭的支持度只達百分之卅五，捷克政府對是否派遣地面部隊開赴巴爾幹半島，一直猶豫不決，召致哈維爾總統公開指斥，這篇演講可以說是哈氏藉柯索伏戰事而闡發他的理念，以及他對人類文明走向的深刻思考。

哈維爾開宗明義即指出，民族國家the nation-state的榮光，從各種跡象看來，其顛峰期已經過去了。由於一代一代民主人士的努力奮鬥，兩次世界大戰的慘痛經驗，世界人權宣言的被世人所認同，以及文明本身的演進，終於使人類瞭解到：人比國家更為重要。置身於這樣的一個世界，國家主權無可避免地終將解體。他進一步說道：「明顯地，盲目熱愛自己的國家，除了本國而外一律不買帳，凡自己國家所做所為皆可原諒－只因為他是自己的國家，任何其他東西皆排斥之－只因為它有所不同，這種盲目愛國必然變成極其危險的時代錯誤，亦成衝突的根源，而在極端的情形下，變成人類受苦受難的根源。」

在他看來，大多數國家在下個世紀終必改變，不再是充滿情緒宛如邪教似的實體，而是變成遠較簡單而文明的實體，權力縮小，行政更趨理性，在環球社會複雜而多元的結構裡，國家只是其中一端而已。國家的實際責任－即其法律權力，只能朝兩個方向讓渡：向下授權給非政府組織與民間社會的構成體；向上則授權給區域性、超國界與全球性的組織。哈維爾關心的是，在使民族國家的支配力解體的進程中，吾人應竭盡所能減輕苦痛，不宜重蹈民族國家創建時加諸人類的禍害。

正因為哈維爾具有這樣的觀點，因此他對聯合國最有權力的安全理事會，深表不滿，而思有所改造，常任理事國一票即可否定世界上所有其他國家的情形，在一個業已多極的國際社會，顯然是不適當

的。更重要的是，聯合國應該屬於全世界的公民，而不是政府才能參與的精英俱樂部。當然，這種觀點從國際政治的現實角度言，未免太過理想化，付諸實施在短期內大概是辦不到的。但這也是因為哈維爾體認到：「……人間有比國家更高的價值，那就是人性。我們知道，國家之所以存在係在服務人民，而非反其道而行。假定一個人替國家服務，則應該預期其服務只到這麼一個程度－即允許國家得能妥善地為所有公民服務。人的權利優於國家的權利。人的自由代表了比國家主權還高的價值。保障獨一個人的國際法，必須位於保障國家的國際法之上。」

人比國家重要的理念，哈維爾真是充分加以發揮了。（世界週刊譯文標題為〈人權高於國家主權〉，頗有見地）他本著此一理念，為北約之轟炸南斯拉夫辯護。他認為，這次戰爭很可能是不以「國家利益」為由，而以原則和價值之名而出師的第一個戰爭，替未來立下了一個先例。哈維爾在演講最後自述，關於國家在未來的可能角色，他是這麼主張的：「國家是人創造的，而人則是上帝創造的。」

這是多麼簡潔有力、振聾啟瞶的聲明！

真希望哈維爾的說法，能夠深入普及到全球各地的華人心中，讓大家多多自我反省：一方面拆穿當權者藉「國家」之名而採行的許多壓制、迫害措施；另一方面提醒自己，「愛國」是充滿陷阱的，在當權者眼中往往只是遂行權力的工具而已，只想當工具的人民是無法成為主人的。

人遠比國家珍貴而重要。

──《美中新聞》，1999年7月2日

宗教仇恨與恐怖暴行

　　本（二〇〇一）年諾貝爾文學獎得主奈波爾，應紐約時報之訪問（全文見十月廿八日紐約時報雜誌第十九頁），曾有如下的答覆：

　　問：你認為九月十一日（驚爆事件）的原因為何？

　　答：沒別的原因。宗教仇恨，宗教動機，就是主因。我不以為這是美國外交政策所引起的。在康拉德談印度群島的短篇小說中，有一段話提到，有位野人發現自己在這個世界上兩手空空，於是怒吼一聲。我認為，在本質上，那就是事情發生的經過。對僅剩宗教的簡單人群而言，這個世界變得越來越難掌握。並且他們愈是依賴宗教，當然這什麼也解決不了，世界愈變得無從掌握。七〇年代石油所帶來的金錢，產生了一種幻想，誤以為伊斯蘭世界終於享有權力。這就好像在上頭有那麼一個屬神的超級市場，最後畢竟向伊斯蘭世界的民眾開放了。他們不了解，賦予他們權力的商品，到頭來乃是由另一個文明所製造的。那是無法接受的。過去如此，現在依然。

　　紐約世界貿易中心被受劫持飛機撞毀燃燒倒塌以後，全球輿論界、學術界和形形色色的意見領袖，針對事件的起因——包括美國之所以如此遭人仇恨，發表了許許多多的分析解說與議論。奈波爾這位出身第三世界的印度後裔，雖用英文創作，但常赴南亞、非洲、拉丁美洲（他生於南美洲千里達）等地旅行，直接接觸百姓，在訪問中他也表示，他是儘量帶著一副空白腦子，於旅途中讓事實浮現。比起那些充滿理論而且常常化簡單為複雜的解釋，奈波爾的快人快語，依個人管見，反而具有直指本心的真切。

　　不過，簡化容易滋生誤會。宗教仇恨固然是紐約九一一事件的主

要動因,但與其指責某一宗教系統,還不如歸咎於信仰該宗教系統的一群信徒,這樣才更公允而確實。凡是信眾廣大的宗教,一定含有相當數量的經典,典籍內容豐富,甚至包括不少的矛盾牴觸之處,而越是單元且排他性強的宗教,別具用心的狂熱信徒,極易自其中取得替本身恐怖暴行宗教合理化的說法。

以基督信仰的聖經為例,大體上舊約比較富於掙扎奮鬥的精神與記述,鬥爭意味重,即使是大家遠為熟悉的新約,也不難隨手舉出例子,比如馬太福音就錄有耶穌這麼一些話(譯文取自聖經公會現代中文譯本):

「不要以為我是帶和平到世上來的,我並沒有帶來和平,而是帶來刀劍。我來是要使兒子反對他的父親,女兒反對她的母親,媳婦反對她的婆婆。人的仇敵就是他自己家裡的人。」(路加福音有類似的話:你們不要以為我是帶和平到世上來的。我告訴你們,我並不是帶來和平,而是帶來分裂。……父親跟兒子爭,兒子跟父親鬥……)

「好樹結好果子,壞樹結壞果子;好樹不結壞果子,壞樹也不結好果子。不結好果子的樹都得砍下,扔在火裡。」(路加福音內的類似一段,則無砍下扔在火裡的戰鬥性。)

宗教典籍的力量,往往寄託於它的比喻、喻示和聯想。狂熱信徒如果偏執己意,把不同於我(至於其標準自又是由本身來認定)的人視為「壞樹」,則充當砍樹扔火的「刀劍」,當然就義無反顧地去行神的旨意了!

然而,新約中卻有更多愛的教示及生命的智慧,再以馬太福音為例:

「你們曾聽見有這樣的教訓說:『以眼還眼,以牙還牙。』但是我告訴你們:不要向欺負你們的人報復。假如有人打你的右臉,你連左臉也讓他打;……」

「但是我告訴你們：要愛你們的仇敵，並且為那些迫害你們的人禱告；……」

「你們不要為明天憂慮，明天自有明天當操心的事……」

「來吧！所有勞苦、背負重擔的人，都到我這裡來，我要使你們得安息。……」

如果遵行這樣偉大的情操，連仇敵都能愛了，那滿腔報復怒火的恐怖暴行，又如何得以落腳？

筆者對回教並無研究，但據凱倫·阿姆斯壯女士（曾為天主教修女，寫過許多研究宗教的作品）所言，尤其是九一一事件後，她為所撰《穆罕默德──先知的傳記》重寫新序，她認為以穆罕默德之名進行大屠殺，無異是對先知的大不敬。事實上，先知大半生致力制止不分青紅皂白的殺戮。「伊斯蘭」一語代表這個宗教要求信徒全心全意順服真主，此詞與阿拉伯文中表達和平與平安的salam淵源至深。更重要的乃是穆罕默德最後揚棄了暴力，轉而接受天啟，大膽採取非暴力政策。斷章取義，擷取「古蘭經」內傾向暴力的章節，實在無法說是追隨先知的步履。

華夏文明、印度文明與回教文明，都曾經在人類歷史上放射過無比的光芒，但在近兩個世紀與西方文明接觸、互動與角力的過程中，卻都飽含屈辱的痛苦經驗，受屈辱及挫敗的子民，極易萌生強烈的仇恨其他文明體系的心理。中國由於宗教性比較不那樣強烈，相形之下，宗教仇恨在熱度上或許略顯含蓄。不容否認，西方文明迄今仍是現代社會的主導勢力，如何面對並與之交接，始終是重大的課題。巴勒斯坦裔的文學批評大師薩依德，在近文中引述已故伊克巴·阿美德的觀點，指責將回教律令降格為刑事法典，剝除了其中的人道精神、美學、知性追求與靈性奉獻，以致造成「一種對宗教單一、孤立面向絕對強調，並且完全不顧其他面向。」這種自我反省彌足珍貴。

　　面對西方文明的價值體系和西方社會的實質成就，坦白講，其他
文明終究不能不予以承認和讓步，與其採取宗教仇恨的最惡劣方式即
恐怖暴力來對抗，還不如老實地去加以學習，從學習中獲致的成果，
才能讓不同的文明理解到，彼此應該可以平等共存於這個世界。

——《美中新聞》，2001年11月30日

變味的天堂

　　今（二〇〇二）年九月十二日，也就是九一一事件週年的第二天，美國廣播公司電視晨間新聞主播吉布森，訪問勇於救人而犧牲性命的紐約女警史密絲三歲的女兒，當這位純真的小女孩以稚嫩的聲音說出：「媽媽現在住在天堂」，相信許多觀眾看到這個鏡頭，都會泫然欲淚，心中有一股難以言喻的感慨和感動。

　　當前的世界，實在飽受恐怖暴行的威脅。中東地區以色列、巴勒斯坦及阿拉伯國家間的紛爭，激進回教團體鼓動的自殺人彈事件，上演經年，幾人被殺多少人受傷，連同充滿血腥的現場景像，似乎已經成了例行的報導。他如巴基斯坦、印度，也總是時而傳出類似的案件。阿富汗神學士政權垮台之後，新政府的副總統和一名部長級官員，業已成為恐怖手段的犧牲者。不久前，法國油輪在中東巴林被攻擊，經查亦係恐怖份子所為。近三星期來，美國首府華盛頓郊區，狙擊手神出鬼沒，作案已達十數起，民心惶惶，市景蕭條，甚至影響了一般人的日常作息。十月中印尼峇里島恐怖爆炸，菲律賓多處發生爆炸攻擊。凡此種種，雖非大規模的武裝戰鬥，但範圍這麼廣，又無從防止或預測，已使世人心頭蒙上一層恐懼的陰影。

　　然而，就在這樣的背景下，弔詭的是：貫串著這許許多多的恐怖暴力事件，其中竟有個無從否認的天堂的概念。再以中東地區做為具體實例。巴勒斯坦自殺人彈執行者，幾乎全是年輕的男女，這些青年不管是受宗教團體洗腦，或是確係本身主動獻身，全都相信為了伊斯蘭教而付出自己的人身性命，可以立刻升入天堂。至於以色列方面受害者的親屬，幾乎也是異口同聲說，遇害人已晉升天堂。巴勒斯坦回

教組織哈瑪的一名領導人表示：目前巴勒斯坦的青年人，比二十年前他們那一輩更信仰天堂，這些青年深信，為回教而死，便可直接升上天堂第七層（大約與中國人的七重天相似），跟美麗的處女為伴（一般說是七十或七十二名）。他還分析謂：這種天堂觀念，賦予青年烈士以安慰和力量，「給了巴勒斯坦人心理優勢而勝過以色列人。」

當然，哈瑪組織領導人的觀點，不過是自我強化的說法而已。以色列人何嘗沒有他們的天堂觀念？雖則不少神學家強調，對猶太人來說，此時此地更形重要，而非來生，這同樣有可能是以色列勝過周圍回教社會的因素之一。即使是屢被回教基本教義派詆譭抹黑的美國，依新聞週刊最近的民意調查（見八月十二日第四四至五一頁），美國人有百分之七十六相信天堂，相信者當中百分之七十一認為天堂「確有其地」，百分之七十五的人相信，他們在地上的所作所為，決定了他們能否上天堂。這份調查，至少顯示美國人並非外界所常誤會的如此「世俗化」。

華夏文明的初期，沒有孕育出有系統的宗教信仰，先秦思想家少有天堂的觀念，尤其儒家自孔子開始，注重的是現實世界，「未知生，焉知死？」對死後世界（after-life）思考不多。中國人有關理想社會的嚮往，常是寄託於遠古時代，後來陶淵明的「桃花源」，則是虛擬的歷史情境，宗教意味均低。至於「仙鄉」等說，更是受到外來宗教傳入中土的刺激，加以吸收轉化的「本土版」。倒是西方文明之源起的古希臘，神話極為豐富，在先哲蘇格拉底斯的心目中，死後乃是底下的世界（參見柏拉圖對話錄菲多尾聲部份），依此一設想，大概就不會是「升上」去，而是「進入」其中。

因此，天堂觀念，應該說是比較完整的宗教體系構成以後才日益發達的。基督信仰如此，伊斯蘭亦然。從常識性的理解來說，天堂其實就是人在現世生活中的欠缺、遺憾與苦痛之補足及安慰。沙漠地區

的人所設想的天堂都有清涼可飲的水和綠草，岩地生活者則是「流奶與蜜」之鄉。即使佛教的極樂世界未必等同於天堂，但後來的教界大德為了接引普通大眾，還是會利用死後世界為楔子，此一世界則是佈滿黃金與琉璃，這又是何等世俗啊！幾乎可以說，有怎麼樣的現世環境，便有怎麼樣使其完善的相應天堂。

有沒有天堂？天堂是什麼或像什麼？它在那裡？這類問題，其實是普遍的人心之所求，就像對愛的渴慕，對親情的需要，似無種族地域之分。紐約九一一事件以後，著名佈道家葛里翰牧師女兒安‧葛里翰‧洛茲所寫的一部小書《天堂：我父之屋》，突然暢銷起來，書中的天堂描述可稱具體，甚至天堂的面積都明定為一千五百英里長寬等距──這自然是出自新約啟示錄，只是把里改為英里，則顯然是予以美英本土化了。啟示錄二十一章也明言量尺是黃金的，城牆係碧玉所造，城本身為黃金，基石則為藍寶石、瑪瑙、翡翠、紫晶、珍珠等十二種寶石。雖然神學家一再指出天堂是象徵性的，但一般人卻信其所要信所想信，非關邏輯。天堂在那裡？請容筆者冒昧地回答：它在信者的想望之中。

回到現實，環視目前飽受恐怖暴行威脅的二十一世紀世界各地，真是叫人難以釋懷。任教明尼蘇達州康科迪亞學院比較宗教學的巴席‧柯敘爾指出《古蘭經》內有一詩篇說：「如果你殺了一名無辜的人，就有如殺死了全人類。」用不義手段殺死某人，然後對自己說，你會升入天堂，而不致於遭受審判，這是非常有問題的。天堂的嚮往，居然變成恐怖暴行的心理建設和信仰基礎，不僅矛盾，而且是無可原諒的不義。這般天堂，無以名之，只能說是餿掉而變味的天堂。

──《美中新聞》，2002年10月25日

男女角色的變遷與文明演化

　　不管喜不喜歡或承不承認，現代社會在許多方面都受美國文明所影響。科學技術與學術研究，最高的取經對象往往以美國為目的地；美國的電影、電視及流行音樂，風靡全球；速食餐廳和牛仔褲，橫掃世界，成為青年人的最愛；汽車文明的機動性，是各國追逐現代化的明顯指標；其影響所及，可謂遍佈精神與食衣住行等物質層面，連節日也不例外，母親節之普及，就是一個實例。

　　且先抄錄一段關於母親節的資料如下：

　　首先提倡慶祝母親節的，係來自美國西維琴尼亞州的安娜‧賈維絲女士（Anna Jarvis）。由於她的努力，第一次母親節於一九○八年五月十日在費城舉行，短期間，這個想法盛行全美。一九一三年，美國國會通過一項決議案，贊成把它當做全國性節日。隔年，威爾遜總統指定每年五月第二個星期天為母親節，自此以後，美國總統每年均頒發母親節文告。大多數人在這一天致贈禮物給母親，以表達愛慕之忱，母親還活著的，多半戴上粉紅或紅色康乃馨、玫瑰，母親已去世者則改戴白花，美國有不少公共建築甚至在當天升上國旗。剛開始時，英國、瑞典、印度、墨西哥等國仿傚，但到了今天，多數國家均慶祝母親節。

　　雖然，孺慕敬愛生養自己的父母，一般被認為是人與生俱來的本能和天性。但除了少數例外，比如以女性為權力中心的母系社會，論女性地位的提升，在歷史上似以二十世紀的發展最具關鍵性。母親節的設立，婦女投票權與參政權的爭取及獲得，生育控制措施，婦女運動之爭取女性政治、社會及經濟地位，都發生在上一世紀，並且取得

相當程度的進展。拿華夏文化來說，遠從兩千餘年前的孔子，即已大力倡導孝道，惟社會制度以父權為尊，儒家及傳統的孝道還是把男性當做家庭的核心，相形之下，女性的地位便顯有不如。大家熟知的歷代詩文，確實不乏歌頌母愛的名篇，但社會上通用的罵人話語或口頭禪，直到目前，仍然以侮辱女性及母親者佔大半。這種矛盾狀況，隨著社會的演進，業已見出改變的跡象。

今（二〇〇三）年五月十二日的新聞週刊，可能為了配合母親節，推出了現代家庭男女關係變遷的主題報導，標題稱「She Works , He Doesn't」。如果以第二次世界大戰後出生的嬰兒潮世代為區分，則這一世代的上一輩，婦女投身職場者人數非常少，男性即爸爸通常是家庭生計的唯一來源；就嬰兒潮世代本身而論，男女雙方皆工作者逐漸成了常態；到了下一代即嬰兒潮世代的子女，觀念更向前推，不僅視男女雙方工作為當然，而且對女方收入高過男方，甚至以女性在外任職為主，男性投入家庭主持內務，接受的程度愈來愈高。以嬰兒潮世代的柯林頓總統為例，在他當選總統以前，雖然積極從政，也擔任州長多年，但阿肯色州州長薪資甚低，夫人喜拉蕊則是全美前百名大律師，她的豐厚收入，相當長時間才是家庭經濟的主力。

依新聞週刊的數據，美國人有百分之五十四，知道某對夫婦太太的收入明顯地是生計之源，而丈夫的事業則屬次要。這跟女性所受教育更佳有關，目前的美國人，女性取得大學學位與企管碩士者，多過男性。反映到職場上，一九八三年，高薪行政、經理主管人員女性佔百分之三十四，而到了二〇〇一年，則已多達近乎半數。當然，就整體而言，男女工資仍然呈現一百與七十八之比，即男性賺一美元，女性只賺七角八分。但女性對抗失業較具韌性，主要是因為女性從事的傳統行業如醫療、教育等，這類行業的抗蕭條能力佳，勝過男性投身的製造業。以二〇〇一年為例，夫婦雙薪的家庭中，百分之三十點

七，女性收入超過男性。

不過，工作性質與場地的改變，也是一大因素，這點新聞週刊的報導雖未提及，但個人認為千萬不可忽視。牛津大學哲學教授卡拉柯斯基曾經觀察到：人類歷史上，有很長時間，人們在戶外工作，入室內休息；到了工業社會及後工業社會，則轉成人們進室內工作，而到戶外休閒。此一轉變，影響非同小可。以當前最熱門的資訊業來講，女性的明慧有序，細心勤奮，辦公室工作之適合女性，絕不亞於男性。另一方面，由於體力與健康條件的改善，以往偏用男性的行業，女性也有資格加入，此所以隨著機械設備的改善，今天在建築工地或公路維修現場，便不難看到女性工作人員的身影。

當然，早就深入人心的基本觀念，時常不易在短期內扭轉過來，也未必能夠立刻依社會現象的演化而與時並進。依新聞週刊的民意調查，仍有百分之四十一的美國人同意，男主外女主內，家事人人參與更佳。同時，尚有四分之一的人認為，在婚姻關係中女性成為收入主源，乃是難以接受的。但另一方面，卻已有一半女性表示，在選擇伴侶時，考慮對方的賺錢潛力，已經不再那麼重要無比了。同時，調查中也顯示，如果妻子賺的錢更多，則有百分之三十四的男性表示，他們會考慮辭去工作或減少工作時數。「家庭主夫」的角色，或許漸漸不再那般「異類」了。

現代社會男女角色的變遷，很可能就是今後文明演化的縮影，值得大家觀察與體會。

——《美中新聞》，2003年5月9日

政府沒這麼重要

住在金魚缸裏

佛羅里達州甘迺迪家族的別墅，最近發生甘家子弟涉嫌強暴女子的事件，美國新聞界對這一消息的報導與傳佈，其盛況實在是波斯灣戰爭以來最具規模的一次。而在這段期間，傳記作家吉娣・凱利所撰未經授權的《南茜・雷根傳》，透過出版商的安排設計，評論和訪問充斥各種媒體。這兩件事均是典型的所謂「媒體事件」。

在英國，歷史悠久的皇室乃是各類閒話及謠傳的主要來源。美國自脫離英國獨立以後，已無皇家可言，但論者有謂，美國人眷戀皇室的情結，卻轉嫁到政壇名人身上。

甘家在政治上顯赫了三代，而且還會傳承下去。其權勢與財富，一向被人欣羨和嫉妒。加上甘家子弟多，成材的固然成為媒體追逐的對象，不成器的也同樣不會被輕易放過。至於雷根夫人，自入主白宮之後，有關她生活奢侈、家庭失和、親子疏遠、迷信而擅權的傳言，也是風聞不斷。名人彷彿永遠住在透明金魚缸裏頭，在享受風光之餘，還得提防隨時被人抓住小辮子。

檢討起來，這類事件涉及：個人的生活型態是否必然與政治能力和判斷有關？公眾人物有無隱私權？報導上的渲染、誇大、不實，跟惡意中傷有何分際？公眾人物能否提出毀謗名譽之訴訟？前三點在理論上可以發揮的地方很多，但最後一點卻最具現實的意義。

名人當然有權提起毀謗名譽之訴訟，但真正採取行動的例子卻很少，法界人士且普遍認為，即使提出，其獲勝的機會也非常渺茫。舉證責任委諸原告，而法官的認定經常有利於被告。美國社會「雖然犯錯依然有其權利」（The right to be wrong，但絕不是The right to do

wrong）的觀念，在這方面獲得充分的體現。

其實，對政府及政治人物可能為惡，恆常保持合理的警戒與疑慮，乃是民主社會的一大原則。準此，雖則閒話謠言不免令人心煩，政客還是寧可讓他住在金魚缸裏。

——《美國時報週刊》，1991年4月20-26日

淺談美國的陪審制度

　　著名的黑人足球明星（曾是電視運動節目評論人，演過幾部電影，也出現在不少的電視廣告中，其美式足球方面的成就，早已列入足球名人堂）辛普森涉嫌殺妻案，經過一年多的搜證與審訊，透過媒體諸如電視、報紙和廣播電台的不斷傳播及討論，此案可能已成為美國有史以來知名度最高的一個刑事案件。

　　十月三日，該案陪審團認定加利福尼亞州政府檢查官所提謀殺控訴，罪証不足，而由主審法官伊藤當庭將辛普森開釋。萬眾矚目的謀殺案，終於告一段落。然而這一結果所造成的反應，卻又說明了美國社會種族構成有它難以協調的分歧。黑人與白人對此案的認知，不僅事實的接受與取捨斷然有別，連價值與感情取向也大多不同，甚至同情的對象也含帶膚色的認同感。如果說「法律之前人人平等」是法制社會的標準，則辛普森案給人的聯想乃是一個反示範，設使嫌犯為白人，或者被害者為黑人，審判的結果顯然將有所不同。除了種族上的差異外，值得重視的是財富是否可以購買「正義」的問題。如果辛普森不是功成名就富於資財的人，又怎能花得起數百萬美元，請到美國最高明的律師組團邀約各方面的專家替他辯護。其實，辛普森的無罪獲釋，說穿了乃是辯護律師團的勝利，而這個勝利，不必諱言，在相當程度上，是由金錢堆積起來的。

　　種族歧異與歧視的問題，的確是美國社會切身而嚴重的政治、經濟、社會與文化難題，並且顯然將「長相左右」，而不會有短期速成的解決之道。至於金錢財富與法律公道之間的夾纏，也是早就被人詬病的現象。二十世紀初法國大文豪佛杭士，便認為一名紈袴子弟與一

位在飢餓邊緣的少年，若去偷一片麵包而被捉到，兩人判處同樣的刑罰，在他看來就已經是很不公平的事體，而深致其憤慨之意。若佛杭士活到今天眼見辛案辯護律師的言行，不知道會有什麼反應？

種族歧異歧視、金錢污染法律正義這兩大議題，自然是值得深入加以探討的，事實上美國社會各界的意見領袖也在這方面發表了許多見解，甚具參考價值。本文所想談的，則是國人未必熟知的陪審制度，畢竟認定辛普森罪証不足的乃是陪審團。

在辛亥革命推翻滿清皇朝以前，中國自有其行政兼理審判的法律制度，與西洋大為不同。民國肇建以後，大量採行西方的法律觀念與制度，但中國法律體系的基本架構與精神，明顯的偏向大陸法系，因此對於英美法系遠較生疏，對陪審制度尤其有難以理解之感。一般國人心目中總是存有一個疑問：陪審團的組成份子是普通公民，並沒有專業的法學訓練與法律素養，他們憑什麼來決定涉案者有罪或無罪？

其實，陪審團所做的大體上是事實的認定，至於法律的適用（比如採用那一條法律規定）和正式的宣判，當然由主理法官為之。陪審團的選任，被告與原告律師均有發言權，換句話說，獲選的陪審員基本上要得到原告律師、被告律師和主理法官的同意，有一方不表同意，候選陪審員即被解除。有時候，選任陪審員成為相當冗長而無聊的程序，此所以美國法院在通知陪審候選人的信函上，常常會建議收信者帶書籍或刊物去閱讀以打發時間。就候選人的立場講，一旦被選上，尤其如果是刑事案件，則陪審的時間很長，雖說雇主不得藉故開除任陪審員的員工，但對工作和家庭生活均造成諸多不便，因此有不少人想方設法要免除這項義務，更何況對陪審員而言，財務損失不輕，以今（一九九五）年芝加哥所在的伊利諾州庫克郡為例，陪審員一天可領十五美元，外加交通費二元兩角，一天總收入為美金十七元二角，連法定的每小時最低工資都不到！完事以後，法官頒發的「履

行公民義務」獎狀，大概也很少有人會把它裱掛起來。

如此說來，美國的陪審制度豈非鬧劇一場？當然不是，陪審制度有它重大的意義與價值，不論是在法律學理或政治學理上，均有其根據和精神。威序曼所著《陪審制度解析》一書中，有一段簡要的話說明如下：

> 我們之所以把案件託付予陪審團，並不是出於它有效率，而是出於此一信仰：認為比起機關團體或知識界的精英份子來，我們的同胞公民本著他的良知良能，更能使我們免於受到政府的侵犯－這是石破天驚由富人與少數人身上遞交到普通人手上的權力移轉。

防患官方和政府濫權的含義，躍然紙上。筆者甚至要更進一步指出，不能為害的政府，比刻意要為國民謀幸福的政府，對生活其中的人更為有利。社會主義和共產主義，包辦了人從搖籃到墳墓的一生歷程，甚至在臺灣的國人也早已習慣「大有為政府」的宣傳，國人之不易理解陪審制度的精義，其來有自。

當我們看到辛普森在相當數量的證據下，於常理可能推定的情境下，竟能脫開法律的制裁而獲釋，在替被害者不平與憤懑之餘，也該思及讓官方於起訴時，必須更努力更確鑿方能定人之罪，正是使人的基本權利免於受侵害的一大保障。

——《美中新聞》，1995年10月13日

政府有這麼重要嗎?

　　美國國會提出的七年內平衡預算法案,柯林頓總統除了放話表示將予以否決外,似乎也覺察到這次民意測驗總統方面較佔上風,不妥協的姿態擺得比平日更高。但共和黨控制的參眾兩院,卻認為美國人之所以在去(一九九四)年把他們選入國會,目的便是在改變國政大方向,平衡預算就是其中的一環。尤其是眾議院新進的七十一名共和黨議員,多少都帶有「使命感」,彼此團結一致,立場堅定。雙方自認有理而又互不退讓,終於促成自十一月十四日起,美國聯邦政府局部關閉,部分所謂「非必要」的機構和人員,有好幾天的時間無班可上,直到十一月二十日,總統稍為軟化後,僵局才得以暫時告一段落。

　　這種政府暫時「休業」的現象,以前也曾經有過,柯林頓的前任布希總統,就面臨和處理過類似的局面。以這次為例,實在看不出美國社會有什麼大不了的驚慌現象,除了少數申請人因機關關閉而有所不便外,工商業照常運轉,一般人一樣過日子,反倒使人聯想到:聯邦政府何以有那麼些「非必要」的機構和冗員?而這一個反問,卻代表了非常深刻而重要的一個政治思想的課題。

　　且先從中國人可能有的感受說起。在專制時代,國人早就習慣了「國不可一日無君」的觀念,彷彿一個沒有人當皇帝的社會是無從存在的。即使於推翻滿清皇朝以後,透過強有力的政治教育的不斷灌輸,政府的地位反而達到空前的程度,更可怕的是當權執政政黨的地位與政府合而為一,而進一步形成黨即政府即國家的連合體,其流弊之大,早見之於中國近代史上的斑斑血跡。

　　直到今天，中國國民黨仍然誇口說：「沒有國民黨就沒有中華民國」；共產黨也說同樣的一套，每當中共當權者感受到其執政權力有遭受挑戰之虞時，總是連番祭出「亡黨亡國」的威脅；姑不論兩黨的說法是如何的站不住腳，問題是經過長期的薰陶與習染，已使政府越來越坐大，人民與政府之間的主從關係，便被有意的模糊甚至被顛倒了，官方愈來愈敢於向老百姓提出要求，自以為理所當然，老百姓不敢也不知如何去拒絕或排斥政府的「服務」。中國人雖然歷經辛亥革命和共產革命的洗禮，但在政治意識上的覺醒與進步相當有限，如果只是把「君」換做「政府」，則今天「國不可一日無政府」的心態，並沒有多少進步可言。

　　當然，平心而論，臺灣在這方面還是遠勝過中國大陸的。為了爭取自身的權益－不管合理不合理，有些甚至還涉及合法不合法的問題－人們敢於向官方抗議示威，反對勢力的體制化，或者簡單地說，政府公權力的經常受到質疑與挑戰，雖然造成社會的亂象，使得當政者偶或產生「無力感」，基層公務員時生「公僕難為」之歎，但顯然這正是「民間社會」活力充沛的表現，足以變成政府權力的制衡。有人也許會說，臺灣與大陸相比，不過是五十步笑百步，但政治上的進步－不論是制度或人的基本認識，本來就極為緩慢，也因此而更足珍貴，只需比對手佔前一步，已經值得自豪。

　　在西方，特別是英美自由民主體制，則觀點頗為不同，而且有它的傳承。古典的自由主義與個人主義，雖然不是想取消政府的存在，但始終認為權力必有被濫用之虞，當權者總有腐化的傾向，政府為惡的可能性永遠存在，因此在制度的設計上，安排的是政府部門之間的制衡，在人心觀念上，著重的是個人自由的強調和保障，不能過度依賴與信任政府。民主政治的歷史發展，與之相呼應。英國的民主政治的發展，就是從限制國王的權力首開其端，漸漸及於貴族，然後才逐

步擴大到平民百姓，使之享有參政權和基本人權。

美國的情形類似。遠的不提，即以美國當代保守主義運動的啟蒙人物高華德參議員為例，他在一九六四年代表共和黨競選總統時，雖然慘敗，但他的主要信息，卻影響深遠。他認為自由之行使，必須先有秩序之建立，但保守主義者也認識到，秩序奠基於政治權力，而政治權力是會自我膨脹的，胃口越餵越大，必須非常小心與戒備才能使政治權力守在它的本分以內。「無所限制的權力乃是自由的敵人。維護自由的人，只要一發現到權力集中的現象，就必須奮起而戰。」這一類的觀念，貫串了美國政治上保守派的立場，雷根總統之公然表示「政府並非全能解決問題，政府自己本身正是一大問題」，可說其來有自。

美國的民間社會，目前仍然懷有這種戒懼者，大有人在，對政府權力的一再擴大，對官方的不斷涉入人的私領域，引以為憂。認為政府的成長使得人的生命太過政治化，損傷了社會道德規範力，使人為了虛假的安全感而犧牲了自由，因此當今的課題不是如何令政府益趨「完善」，而是去限制政府，讓民間社會重新獲得活力。共和黨國會所強調的「縮小政府規模」，在相當程度上，正是英美自由傳統的現代呼籲。

聯邦政府這次的短暫「休業」，大家不妨藉這個機會來質疑而且進一步反省：政府有這麼重要嗎？

——《美中新聞》，1995年11月24日

美國國旗是可以燒的

美國聯邦參議院於十二月十二日舉行投票，以六十三對三十六票的比數（贊成者共和黨四十九票，民主黨十四票；反對者共和黨四票，民主黨三十二票），未能通過「授權國會禁止污損美國國旗」的憲法修正案。這一類的法案，需有三分之二的多數同意，方能成立。今年六月間，聯邦眾議院會以三一二對一二〇票的比數，通過類似的修正案，允許各州州議會和國會制定國旗保護法。這次在參議院僅以三票之差，使得推動此事者暫時未能成功。

此事的源起溯自一九八九年。當時，聯邦最高法院裁決，德克薩斯州有關禁止污損國旗的規定，係屬違憲。從此以後，主張增列憲法修正案禁止污損國旗的政治運動，即熱烈展開，並組成「公民護旗聯盟」來大力推動，國會也通過了一項聯邦法律，規定污損國旗者得被處罰。但聯邦最高法院又於一九九〇年裁決，該法違反美國憲法第一條修正案（即人民擁有自由表達的權利）。

經過幾年來的推展，護旗運動的聲勢漸成氣候，以參議院的提案為例，原始提案人分別為共和黨哈契參議員（猶他州）和民主黨的哈扶林（阿拉巴馬州），可以說兩黨均有贊同者。其實，參議院修正案的本文極為簡單，只有一句話，那就是：

「國會允宜有權禁止對美國國旗施予實質的污損。」

但這麼簡單的一句話，卻牽動了美國社會的政治思考。在辯論的過程中，哈契參議員問道：

「美國人民保護他們獨一的國家象徵的權利，竟然在法律上被拒絕，這不是很荒謬嗎？」

哈扶林參議員則感慨系之地說：

「在美國，已經有這麼多象徵和價值觀念橫遭矮化而變得微不足道，我們已經沒有任何東西可以算做是神聖的。我認為國旗應該是神聖的。」

反對修正案的一方，也分別從學理、法理和實際的情況來加以辯駁。焚燒國旗的事件，做為一種政治立場的表達，當然是一九六〇年代末至一九七〇年代初期學生反越戰運動期間，最為盛行。但此後即絕少出現，即使偶有其例，當事人也從左派極端份子變成為現在的右派激烈人士。甘乃迪參議員就表示，根據國會研究服務處的調查，有關污損國旗的事例，一九九四年僅得三件，一九九三年則全年皆無。這種事情在美國社會顯然不是什麼嚴重的現象，何必勞師動眾來修改憲法第一條修正案。俄亥俄州民主黨參議員葛林更進一步指出，平均每九千萬人才發生一件的事體，還值得大家耗費心力嗎？

當然，比較有力的說法則是參議院民主黨領袖戴希禮（北達柯大州）的議論，他警告同僚：「這是我國歷史上頭一次計劃針對權利清單來加以修正。」「兩百年來，這是第一次限制言論自由。」他更擲地有聲地說道：

「國旗是重要，但言論自由更重要。」

一般而論，美國人自有他們的愛國思想。職業棒球賽前例皆演唱國歌，小學生清晨朗讀效忠誓詞，甚至在觀光名勝演出節目最後以國旗出場落幕，都是普及而大家習以為常的情況。但美國人也沒有狂熱地崇拜國旗的心理。把國旗圖案當內褲穿，或印在鞋面上把它「踩在腳下」，至於有些太太們把印有國旗標誌的紙張，用來擦小小孩的屁股，雖不雅觀，但確有其例。然而，對於曾經投身戰場，為了美國國旗而出生入死的退伍軍人而言，感受大為不同，這應該說是人情之常。他們眼見美國社會有些人不僅對國旗不表尊敬，而且橫加污辱，

自然憤慨異常，此所以護旗運動中，退伍軍人組織成為主力。

但引起別人的憤慨，或觸怒他人的感受，在法理上不足以成為犯罪的理由；在政治學理上，尤其不能成為限制的藉口。美國的輿論界，有不少人仍能堅持言論自由的立場。國旗雖然是國家的象徵，有時且昇華為美國憲法的象徵，但它不是禁忌或圖騰。焚燒或污損國旗，基本上是一種立場和感受的陳述，即使是冒犯了他人的愛國心，或觸怒了許多人的感受，但行為者做此陳述的本意即在冒犯與觸怒，令人不快是一回事，但其為陳述則並不因此而稍減，因此自應屬於言論的範圍，從而受到憲法修正案第一條的保護。從這個分析來看，哈契參議員與哈扶林參議員的提案固然只有一句話，但卻攸關美國立憲的精神。美國憲法所規範的民主與自由，其精神就在：即使生活於美國的體制下，人有權利和自由去反對這個國家及其體制。美國的可貴以此，美國之令人嚮往以此。

然而，自由與權利的分際同樣重要。比如公私機構懸掛的國旗，即不能妄加焚毀或損壞，因為這屬於該機構的財產，否則就犯了偷竊、非法佔有或毀損他人財物的罪。同時，若有當下而立即的危險，足以造成公共危害，而為一般人所能察知者，例如，明知某地貯存大量易燃易爆物質，而故意在它旁邊焚燒國旗，則不得以言論自由之表達為豁免。

國旗是可以燒的。但請自掏腰包購買國旗，在允許焚燒的地方去從事立場的陳述。

——《美中新聞》，1995年12月15日

文章獲罪

　　芝加哥論壇報的專欄作家麥克・羅逸科，在二月二十七日的專欄中，以尖酸刻薄的語調，大肆批評墨西哥及其國民，引來此間西班牙語裔社區的極大反彈，糾眾千餘人，向論壇報示威抗議，並象徵性地撕毀報紙，要求社方道歉及開除羅逸科。此事不僅報章、電視多有報導，講談廣播節目討論也多，而且針砭時政的電視節目如公共台的「芝加哥夜談」，還特別邀集各方人士座談。

　　按羅逸科執筆為文三十年，影響所及早已不限於芝加哥地區，盛名遍達全美各地，所撰文章不時被知名刊物如《讀者文摘》等轉載，所著專書，如《芝城大老板戴利》，雖然不時被社區人士列為粗話太多兒童不宜的作品，但卻是研究美國地方政治的經典著作。他原本以芝加哥太陽時報為地盤，澳洲報業大亨莫達克買進太陽時報後，羅逸科以理念不合，轉而投效論壇報，數年後莫達克又把太陽時報賣出，但羅逸科並沒有再回到老東家去。去年初夏，他曾因喝酒開車而被警方短暫吊銷駕駛執照，一時成為社會新聞。羅逸科文風鮮活有趣，常常透過小事借題發揮，想像力歷經多年而不衰，早已成為芝加哥新聞界的一大「座標」。一篇專欄，竟能引起這麼大規模的示威，而成為熱門的「事件」，從某個角度看，何嘗不是對他的一種「敬意」？

　　二月二十七日這篇專欄，乃是以諷刺的方式，談到共和黨總統候選人布坎南，由他的反移民論點切入，進而痛痛快快地批判起鄰國墨西哥和人民。其中最令人反感的話語，可由以下所引略見一二：

　　墨西哥之所以搞得一團糟，別無其他理由，只除了係由墨西哥

人自行經營，他們很明顯地不知道自己在搞什麼。

在本世紀，請舉出墨西哥做了那一件事，是對地球上的其他人類真正有用的？除塔奇辣酒而外。看，你就是舉不出來。如果你誠實的話，你便得承認，它是一個沒有用處的國家。

假如墨西哥的確有心改善自己，它必須停止促銷毒品和中止偷渡邊境。相反的，它應該請我們（指美國）入侵而把整個國家抓牢，然後把它轉化成為世界上最大的高爾夫中心。

　　這些話，雖然事後作者表示全屬「諷刺、挖苦」，不宜當真，有許多廣播叩應節目主持人（多屬白人），對西裔社區的反應甚表不解，認為羅逸科文章提及的對象乃是墨西哥，而非在美國的墨裔、西裔社區，這些人既已在美國生活，理應認同美國的觀念與生活方式。這一類的見解，乃是對移民心態缺乏了解與同情所致。移民到了一個新的環境與國家，絕對無法與故國一刀兩斷，風習、文化、商業、宗教甚至移民社區的政治活動，莫不皆然。更何況，西班牙語系的人之故鄉觀念極為強烈！對於故國語出不敬的調侃、譏諷，往往傷及族裔社區的自尊心。這次羅逸科專欄惹出的風波，就是因為觸動了這一敏感的心理層面。

　　然而，自尊固然重要，自由卻至少一樣重要，甚至更為重要。尤其當自尊以群體的方式而表現時，諸如社區、族裔、國家、民族的自尊，落實到實際的運作上，經常成為限制與壓迫自由的藉口。檢討羅逸科專欄風波，千萬不能偏廢這一方面的思考。

　　芝加哥論壇報處理這一次的風波，在事件初發時的公司聲明，曾經招致相當大的反感，無異是火上加油。但該報於三月六日針對這次事件而發表的社論，則頗有值得稱道之處。新聞報紙做為一項主要的

傳播媒體，本來就很容易牽動到人心的敏感地帶，即使是如實的報導，由於受眾讀者的不同認知，往往把對信息的不滿發洩到傳遞信息的媒體身上，例如說某區的髒亂見諸報紙，當地居民花在改善髒亂的努力少，而用於對報社抗議示威的精力多！報導已然如此，至於政治評論、漫畫等之極易招引爭論，自不在話下。但干犯眾怒，任何營利事業都會考慮應儘量避免，自由民主社會的新聞媒體，同樣不能不有這方面的考慮。論壇報的社論，對羅逸科專欄辱及墨裔美人一事，正式表達歉意，但緊接著卻立場嚴正地聲明：

> 我們對刊出麥克・羅逸科的專欄並不致歉。……一份報紙，在它的新聞專欄中必須直截了當，在它的社論中必須直言無諱，而且讓許多聲音尖銳地說出，即使明知如此一來偶或造成令人不快的後果。

> 經營一份有活力、有用處而負責任的報紙，其訣竅就是：在大膽與謹慎之間，在不同的意見與對不同文化的敏感之間，每天都想方設法以維持一個恰當的平衡。這是我們的職志，固不因是否有人在我們大門前面撕毀報紙而改初衷。

　　芝加哥論壇報之所以受人敬重，良有以也。讀罷令人感慨不已者，則是聯想到華文新聞媒體，何時才能充分臻達這個境界？老實說，今天有許多華文媒體，早就存在了一個近乎無所不在的「忌諱」——怕得罪中共政權及其勢力。只要華文新聞從業員始終存有「文章獲罪」的戒懼，則大言不慚地妄談廿一世紀是中國人的世紀，又有什麼意義呢？

——《美中新聞》，1996年3月22日

美 國 萬 萬 稅

少年時代，經常聽到父老們諷刺性地說：「中華民國萬萬稅！」國民政府退守臺灣以後，最常見的政治口號之一，就是「中華民國萬萬歲」。長輩利用傳統的轉聲法，改歲為稅，技巧地宣洩了某種程度的不滿。對屢為報稅所苦的美國住民而言，「美國萬萬稅」，大概也不算是危言聳聽吧！

每年四月十五日，是美國申報個人所得稅的截止日。當天，各地郵局大排長龍，為了方便民眾，更把收件時間延長到午夜十二時。除了耶誕節前的週末外，那天可能是郵局業務次繁忙的一天。事實上，報稅人早已從國稅局和州稅務局收到稅表和說明，銀行及圖書館，大都早將各種稅表陳列出來供人取用，圖書館還把完整的附表與說明裝訂成兩大厚冊，必需使用這些附表的人，可當場影印。稅務機關還算相當便民。

跟繳稅有關的笑話，為數不少，比較通行的如像：世界上只有兩件事是百分之百確定，而且躲也躲不掉，一件是死亡，另一件就是報稅。再如：美國人某甲與某乙，不幸遭遇海難，陷身孤島，四顧茫茫，乙君心慌意亂，深恐無人搭救，勢將死於該地，卻見甲君甚為篤定，忍不住問他何以涵養如此之佳，甲君施施然答曰：我今年還沒報稅，國稅局一定會找上門來的。

在美國歷史上，稅是很有地位的。美國革命的爆發，以及擺脫大英帝國的殖民統治而獨立，起因之一便是不滿英王橫徵暴斂，糖稅、印花稅先已引起強烈的不滿，後來又把東印度公司的多餘茶葉，廉價傾銷，波士頓茶葉黨人假扮成印地安人，爬上三艘英國貨船，將茶葉

倒入海裡。美國獨立宣言稱：未經吾人同意，而強行徵稅——這不但是革命的導因，也是後來美國社會的基本政治觀念之一。

十九世紀中葉，思想家亨利·梭羅雖以《湖濱散記》馳譽文壇，但他對後世的更大影響，可能應屬一八四九年刊佈的小冊子《民間不服從論（*Civil Disobedience*）》。梭羅曾經為了拒繳「人頭稅」六年，而被官方短暫拘禁。當然，他自承例如公路稅、教育稅，他一向是依規定付稅的。但梭羅對當時的黑奴體制極表不滿，而政府又把部分稅收用來維持這一不義體制，在他看來，向不義的政府付稅，不啻是認可政府犯下的錯誤。「民間不服從論」影響深遠，印度聖雄甘地於一九〇七年讀到這篇文章，大受啟發，甘地的「消極抵抗」和「非暴力抗爭」，可謂脫胎自梭羅。一九六〇年代，黑人領袖金恩牧師從事民權運動，其思想與手段，仍然還看得到梭羅的影子。

至於稅在政治上、經濟上的影響，尤其是綿延不絕，並且切身。不少論者指出，雷根總統當權兩年後，美國經濟復甦，中間雖有布希總統時代的短期消退，到柯林頓總統主政迄今，美國經濟強勁有力，這次長期的繁榮，最關鍵的因素乃是雷根時代的減稅政策。布希第一次競選總統，信誓旦旦表示絕不增稅，任內食言，竟成為他競選連任的敗因之一。一九九六年，共和黨總統候選人之一史提夫·福比士，他的競選主軸便是倡議「單一稅」。對美國的政治人物來說，或許不無「成也是稅，敗也是稅」的感受。

歷年來，討論稅制的書籍，不計其數，教人如何報稅、減稅的作品，每年都有新的版本。最近，華爾街日報記者 Amity Shlaes 女士，撰有《貪婪之手：稅如何逼美國人成瘋及其應對之道》一書，全面批評美國稅制，她本人也旅行各地打書，引起廣泛的議論。重複課稅（買車即為一例）、稅制不公、對家庭結構的不良影響（比如婚後可能比婚前稅負重）等，自係大家關心的課題，但更根本的是稅法的規定

多如牛毛，一般人實在弄不清楚。

你知不知道：美國現行的稅法，本文長達一百三十萬字，另加附帶規定五百七十五萬字，有多少人曾經讀過一遍？更可怕的是，當你讀畢時，稅法又已修改多處。為了執行一九九七年通過的「納稅人紓解法案」，國稅局已草擬且適用一千二百六十項以上的新規定，拿來與一九九三年的稅法對照，幾乎以一天修改一項的速度在進行！其實，不必談整部聯邦稅法，對大多數華人而言，有幾個人曾經把個人所得稅一○四○表及說明從頭至尾看過？每年稅表皆略有不同，絕少見到兩年稅表完全相同的情形。

稅務專家又如何呢？「金錢」雜誌曾約集五十位職業報稅專家，針對某一假設的中產階級家庭，邀請他們計算這個家庭的應繳稅款金額。結果答案從低自一萬兩千元到高達三萬六千元不等，只有十一位專家的答案接近正確金額二萬三千四百元。平均起來，專家們與正確答案差距一千五百元。專家如此，百姓何堪？最可慮的是，這種混沌現象，使得稅務官員上下其手、任意裁量的機會大增。

梭羅在《民間不服從論》結語云：「政府的權威……必須具有被統治者的認可與同意。（下文略）」簡言之，國家是為個人而存在，並非個人為國家而存在。一百五十年後，就在報稅截止日當天，芝加哥論壇報專欄作家史提夫・蔡伯曼發出同樣的呼聲：未經吾人投票、吾人亦不能理解的一部稅法，乃係將美國民主簡化為空殼的一大威脅。旨哉斯言！

——《美中新聞》，1999年4月30日

總統有別才，非關成績

記者：你能說出車臣總統的名字嗎？

布希：我不能，你能嗎？

記者：你能說出臺灣總統的名字嗎？

布希：是的，李先生。

記者：你能說出目前巴基斯坦掌權的將軍的名字嗎？

布希：且慢，且慢，這是五十道益智問答嗎？

記者：不，這只是四道題目，問你四個熱門地區的四位領袖。

布希：巴基斯坦的新將軍，他剛被選上──不是被選上，這位仁兄剛剛當權。看來這位仁兄會給該國帶來穩定的局勢，我認為這對那個次大陸是個好消息。

記者：你能說出他的名字嗎？

布希：將軍。我說不出這位將軍的名字。將軍。

記者：印度總理叫什麼？

布希：印度的新總理是（停頓一下），不。你能說出墨西哥外交部長的名字嗎？

記者：不能，先生，但我會照直說，我可不選總統。

布希：我反問你的意思是，如果你說不出墨西哥外交部長的名字，於是，你知道，你便不勝任你的工作。但事實上你是勝任的，不管你說不說得出名字。（錄自一九九九年十一月十五日新聞週刊第四十七頁）

以上是美國共和黨總統候選人布希州長，最近同意接受波士頓某電視台訪問，他與記者間的對話。消息傳出後，布希受到政敵和新聞

界的譏諷，拿來做為他在外交事務方面欠缺經驗的例證。當然，如果他能夠無誤地答出四位領袖的名姓，自然最好，說明他對國際現勢的關心與理解達到高水平。但話說回來，即使如此，又與治國之道何關？仔細分析上列對話，可見出布希相當機警，而有「這是五十道益智問答嗎？」的詰問。後來甚至反守為攻，反問記者是否知道墨西哥外交部長姓何名誰，乘機也替記者上了一小課。這種插曲，使人想起多年前的一段舊事。張豐緒先生自屏東縣長調升為院轄市臺北市長，頭一次進臺北市議會答詢，某位議員當場質問他：「臺北市典當條例」第幾條的規定，張市長知不知道？給他一個下馬威。張市長若知道這條規定才怪呢！但這跟他執掌市政的能力有什麼關係呢？更何況典當條例這種冷僻法規，除了從事這一行業的人之外，又有幾個人讀過它？

　　類似這樣的事例，頂多把它當做花邊新聞或是一則插曲，不必認真。就像不久前中共國家主席江澤民訪問歐洲，在某一場合宣讀講稿時，不慎將「中華人民共和國」唸成「中華民國」，再怎麼說也只是一時說溜了嘴，那能證明具有什麼特殊意義！何需庸人自擾多事推衍。

　　無獨有偶，布希州長就讀耶魯大學大學部時的成績，近來也成了話題，尤其是在耶魯校園內。由於布希本人拒絕讓校方公開他就學時的記錄，加上校方當局警告學生，不得針對此事大肆討論，否則將以校規伺候。可想而知，青年人對這種稍帶「不法」色彩的玩意，不免見獵心喜，躍躍欲試。結果當然是欲蓋彌彰，紐約客週刊已於十一月八日這一期第三十頁，把布希大學四年的成績公布出來。其實，布希早就告訴過華盛頓郵報，設使他膽敢自稱是一名「知識份子」，他的朋友們一定馬上「大笑不已」。布希有自知之明，他絕對不屬於「學業優良」的學生。

界的譏諷

界的譏諷，拿來做為他在外交事務方面欠缺經驗的例證。當然，如果他能夠無誤地答出四位領袖的名姓，自然最好，說明他對國際現勢的關心與理解達到高水平。但話說回來，即使如此，又與治國之道何關？仔細分析上列對話，可見出布希相當機警，而有「這是五十道益智問答嗎？」的詰問。後來甚至反守為攻，反問記者是否知道墨西哥外交部長姓何名誰，乘機也替記者上了一小課。這種插曲，使人想起多年前的一段舊事。張豐緒先生自屏東縣長調升為院轄市臺北市長，頭一次進臺北市議會答詢，某位議員當場質問他：「臺北市典當條例」第幾條的規定，張市長知不知道？給他一個下馬威。張市長若知道這條規定才怪呢！但這跟他執掌市政的能力有什麼關係呢？更何況典當條例這種冷僻法規，除了從事這一行業的人之外，又有幾個人讀過它？

　　類似這樣的事例，頂多把它當做花邊新聞或是一則插曲，不必認真。就像不久前中共國家主席江澤民訪問歐洲，在某一場合宣讀講稿時，不慎將「中華人民共和國」唸成「中華民國」，再怎麼說也只是一時說溜了嘴，那能證明具有什麼特殊意義！何需庸人自擾多事推衍。

　　無獨有偶，布希州長就讀耶魯大學大學部時的成績，近來也成了話題，尤其是在耶魯校園內。由於布希本人拒絕讓校方公開他就學時的記錄，加上校方當局警告學生，不得針對此事大肆討論，否則將以校規伺候。可想而知，青年人對這種稍帶「不法」色彩的玩意，不免見獵心喜，躍躍欲試。結果當然是欲蓋彌彰，紐約客週刊已於十一月八日這一期第三十頁，把布希大學四年的成績公布出來。其實，布希早就告訴過華盛頓郵報，設使他膽敢自稱是一名「知識份子」，他的朋友們一定馬上「大笑不已」。布希有自知之明，他絕對不屬於「學業優良」的學生。

照公佈的成績看來，布希在耶魯的功課表現，只能評為中下，用中文講多半屬丙等，亦即英文所謂gentleman's C。不過，他也沒有任何一門課是不及格而被當掉的；成績最差的是天文學，只得六十九分；布希自認不是擅於思辯的人，但哲學成績卻是所有成績中最高的，達八十八分，歷史學與人類學，各有一個學期達到八十八分；他憑以入學的高中學力，只比當時耶魯入學新生平均成績偏低一點，並不離譜。

紐約客週刊評論此事，持論相當公允。認為布希成績平平，何足為病。學業表現，與白宮政績，兩者並不相關。該刊舉出，有些智力極高的總統，如胡佛、尼克森、卡特等人，他們所主持的政府，政績並不見佳。而本世紀最富有影響力的兩名總統，學業成績卻一點也不出色：羅斯福就讀哈佛大學，成績乃是gentleman's C；雷根出身伊利諾州鄉下小學校優里卡學院，功課普通。依個人所知，美國總統具有博士學位者極少，第一次世界大戰期間的威爾遜則為少數例外，他不但擁有博士學位，而且當過名校普林斯頓大學校長，但後世少有人把他列為偉大總統之一。柯林頓總統學業表現甚佳，非常喜歡閱讀書刊，少年時代經常琅琅背誦聖經，頗得教會內成年人的好感，但他從政期間的私德，實在與基督教聖經的教誨有差距。

其實，我國傳統的文學批評中，早有「詩有別才，非關學養」之說。錢穆、毛子水等先生的中國學問，廣博、深邃、通達，沒有話說，但不以詩名於世。同理，就治國之道而言，也可以說是：總統有別才，非關成績。

——《美中新聞》，1999年11月19日

雷根知識性的一面

　　由於已經罹患老人痴呆症多年，加上不久前才在家中跌傷，並進行一項骨科手術，美國第四十位總統雷根二月六日的九十歲生日，在平靜中度過。當然，美國社會並沒有遺忘這位歷史上年紀最大的一位總統。國會通過頌揚他的議案，例行公事的味道多。至於一些小型的慶祝活動，因為雷根本人的身心狀況，根本不可能親自參加，何況雷根夫人南茜刻意保護他，久已不在公眾場合出現，這些活動自然不易引起傳播媒介的注意。真正值得重視，而且具有深遠意義的，毋寧是雷根親手書寫的演講稿的應時問世，使世人對他更增進一步的理解。

　　歷史學者Kiron K.Skinner在偶然的機會下，從為數眾多的雷根私人文件中，翻找到他一九七○年代末期親手寫出的廣播稿七百七十篇，獲得南茜・雷根的同意後，邀請雷根總統任內當他內政事務高級顧問的馬丁・安德生夫婦Martin & Annelise Anderson，共同編纂和出版了*Reagan, In His Own Hand*一書。不過，書中除了上述廣播稿外，也包括了一些雷根手寫但倖存下來的文件，他本人對自己的手稿無意留存，常常是稿子交由打字以後便扔往字紙簍或垃圾筒，但偶而秘書小姐認為這些文件頗為珍貴，好心地給截下來收藏。有些則是他寫完也用過以後，隨便放進抽屜一擺，離職後由屬下整理收存。

　　這部書的體例比較特殊，一面是手稿的影印，另一面則是完全根據手稿所做的印刷，手稿中刪節更動的地方，印刷部分照樣顯示出來，據編者們說，這樣做不僅基於存真，也是有意讓讀者明白雷根思考的痕跡。他的猶豫、心思的變化、理念的選擇和挑字選辭的斟酌，藉此而得以親切地展現出來。雷根青年時代擔任廣播電台運動播報

員，後來轉往影城好萊塢發展，曾將其經驗撰為專欄交艾荷華州報紙刊載，在影劇界工作一段時間後，轉往電視任奇異公司的代言人，一九六四年共和黨全國大會支持高華德的演說，使政界對他刮目相看，不久即轉向政壇發展。廣播一向是他的利器，加州州長離任後，他有好幾年時間每週做五天廣播。當上總統以後，更首創週末向全國廣播的先例，後來柯林頓總統仿行，現任的布希總統也遵循此例。廣播稿第一段引子點出今天要談的主題後，一律殿以I'll be right back，這應該是雷根一生寫過和講過最多次的短句。

本書的面世，頗引起傳播界重視。編者之一的安德生夫人，曾應政治電視節目C-SPAN之請，詳細解說編輯經過並答覆觀眾立場不一的問題。紐約時報於二〇〇〇年十二月三十一日的週刊，且以五大頁製版摘要刊出，由該報著名專欄作家威廉・沙懷爾William Safire 予以引介及評論。美國新聞界多稱雷根為「偉大的溝通者」，對他與民眾溝通的技巧深表印象深刻，但因為他出身影劇界，批評和反對他的人，總認為雷根是資深演員，種種作為表演的成分多，完全是按劇本來演出，乃是手下幕僚所撰文稿的傀儡。此書可說部分地打破了這一成見或偏見，證明有不少「劇本」是雷根自己親手為之的。

照南茜・雷根的回憶，事實上雷根甚少坐在電視機前看節目，絕大部分時間是坐在書桌前塗塗寫寫。有人參觀過他們家之後，發現雷根藏書相當豐富，尤其有關美國歷史與憲法方面的著作為數頗多。他也勤於做卡片，做為引用時的憑據。出外從事政治和競選活動的旅行時，也會攜帶小型活動圖書館式的資料。他的演講撰稿人早就注意到，雷根自己有一套速記方式，其中許多符號只有他最專精。雷根從政後如此忙碌，何來時間動手寫東西？主要是用旅行時搭飛機或乘車空檔。依他的一位司機所述，雷根有段時間週末常去所買牧場清理環境，車程約需兩個半小時，去時一上車他便在後座振筆撰述，經過一天非常粗重的砍伐林木、築籬堆石等工作後，回程車上雷根並不小

睡，仍然在後座構思書寫。

雷根的風格當然是談話式親切簡明的文體，思路清楚，絕少深奧的辭語。同時，他喜歡用積極的態度為文，曾任演說撰稿人之一的 Peter Noonan 提到，如果你寫「我不會忘記」，到了雷根手上，他必然改成「我一定會記得」。曾任國務卿的舒茲回想一九八四年九月，長期主持蘇聯外交的葛羅米柯部長來訪，雷根打電話請舒茲來白宮一談，雷根向舒茲說明：國務院替他準備的「談話要點」，他表示感謝，但他認為自己撰寫的更能洞其肯綮，因此與葛羅米柯會面時將用自己的版本。前引紐約時報週刊把該文全篇刊出，包括刪節之處。個人讀後至表佩服。舒茲在談到這一件事時，有感而發地歎道：「也許他比絕大多數人所以為的聰明多多。」

在雷根任內擔任演講撰稿人六年的Peter Robinson，在評論本書時提到（見The American Spectator 二〇〇一年二月份第六二至六四頁）：某次雷根於華府大旅館演講，談他首度與蘇聯領袖戈巴契夫的高峰會議，突然之間，旅館天花板的通風系統把他的演講卡片完全打亂了，雷根鎮定如常，一方面設法把已編號的卡片理出順序，一方面向聽眾說，如果我不儘快把這篇演講理出頭緒，我又得向各位再說另一個笑話。但卡片順序業已大亂，很難理清，雷根遂繼續講下去，偶而瞄一下，作者緊張極了，拿出自己的底稿參照，發現雷根所講與原定講稿大為不同，等於是總統自行寫了一篇全新的演講，但流利如常，現場只有五、六個人知悉個中曲折。雷根這等功夫，當然是多年努力所致，但看起來卻是如此輕易平常。作者結語稱：雷根閱讀廣泛，恆常撰寫，自行思考，而且賦予觀念最高的敬意——即付諸實施。

當然，雷根不是大作家、大思想家，但他親手所寫的稿件之出版，讓大家看到了雷根知識性的一面，當可破除一些偏失的成見。

——《美中新聞》，2001年2月16日

伯明罕獄中書簡

　　雷根總統任內，明定已故黑人民權運動領袖馬丁・路德・金恩二世的生日，為美國國定假日。此後，每年元月第三個星期一，全美各主要都市均有紀念活動，聯邦與州政府及各級學校大都放假，倒是商業界多數照常上班。

　　金恩牧師是第四代的傳道人，其長子繼承衣缽，現在也是相當出色的牧師。金恩生於一九二九年，於一九六八年被暗殺而死，活在人間世的時間僅有三十八、九年。生命雖短，但遺澤極為深遠，不僅功在美國，而且對全世界也發揮了可觀的影響力，他是一九六四年諾貝爾和平獎的得主。美國各地以他命名的街道、學校、機構很多，以芝加哥為例，金恩大道綿延十三英里，金恩高中、甘納迪・金恩社區學院，只要往芝城南區開一趟車，不難見到。金恩生前的得力助手傑西・傑克遜牧師，每年於其生日在芝加哥舉辦大型餐會，政界要角、工商與社會名流齊聚一堂，共襄盛舉。

　　絕大多數人從傳播媒介獲得的印像，自以一九六三年八月廿七日金恩在華盛頓大遊行發表的演講最為深刻。〈我有一個夢想〉這篇震撼人心的著名講辭，電子媒體摘要重播的次數多到難以計算，也常常被列為二十世紀最有名的演說。金恩以高昂而誠懇的腔調說出，「我有一個夢想，總有一天，我的四個小孩所居住的國家，大家不會拿他們的皮膚的顏色，而是拿他們的品格好壞來評判他們。」這個畫面，業已成為電視史上的不朽鏡頭。

　　金恩牧師擅長群眾演說，可謂家學淵源。（中國人說要真正精通穿衣吃飯之道，得要三代人，意思相通。）他生前的著作主要有四

本，這些作品所收集的文章中，個人以為最重要的乃是一九六三年四月十六日發表的〈伯明罕獄中書簡〉。二十年前初讀此文，就極受感動，辭章典雅雄健不說，其中蘊含的思想更是具有啟示，雖然金恩未必是原創性的思想家——他頗受印度聖雄甘地思想的啟蒙，但這篇相當長的信函，濃縮了金恩所思所感的精華，實在是他的代表力作。就算是偏見吧，直到今天，其知名度固然遠不如〈我有一個夢想〉，但論起重要性，個人始終認為〈獄中書簡〉更勝一籌。

〈獄中書簡〉的緣由大致如此：當時，金恩榮任南方基督教領導會議的主席，這是個遍及南方各州的宗教組織，總部設於喬治亞州亞特蘭大市。他應邀赴阿拉巴馬州首府伯明罕參加非暴力示威活動，遭警方逮捕繫獄。阿拉巴馬州八位宗教領袖聯名發表聲明，指責這些惹事生非的「外來客」，並委婉勸告應該「耐心」等待適當時機。金恩為了回應這份聲明，遂有此作。他在函末據實自述，「一個人在狹隘的牢房獨處，除了寫長長的信函，思索長長的思想，祈禱長長的禱告外，還能做什麼呢？」

金恩首先解釋他不是「外來客」，他之所以現身伯明罕，乃是此地有不公義。「任何地方的不公義，即是對每個地方的公義之一項威脅。」而他堅持的應付方式，就是他所信仰的非暴力運動。凡屬非暴力運動，基本上有四個步驟：收集事實以決定不公義的情況是否存在；談判；自我淨化；直接行動。他談到自我淨化的程序時，提及先開設一系列課程講授非暴力的精義，並且不斷地自問：你受到攻擊時，能不能不去報復？你能不能忍受監牢的折磨？

至於要有「耐心」等待「適當」時機，金恩感歎的是：「很可悲但卻是一個歷史的事實，特權團體絕少自願放棄其特權。個別的人或許見到道德之光，因而自願放棄他們不公道的態度；但正如神學家仁和·尼布爾提醒我們的，集體老是比個人更不道德。」因此，在他看

來，這種「等待」幾乎總是意味著「絕不會有」。金恩甚至引知名法學家的話，「被延遲過久的正義，即是正義遭到拒絕。」

金恩是神職人員，對法律的概念不脫其神學思想，並引中古時代聖哲奧古斯丁與阿奎那的良法惡法區別準則，做為根據。不過他提出的一些見解，讀來令人動容。他說：「一個多數或當權的多數團體，迫使少數團體去遵守而本身卻不受其拘束，則這個法令便是不公道的法律。同理，多數迫使少數遵行而它本身亦願意遵行，此一法令就是公道的法律。同一性使其合法。」本著對不公道法律不予服從的精神，金恩進一步發揮道：「一個人的良心告訴他此一法律不合公道，從而違犯它，為了喚起整個社會對不公義的良心，他甘願接受入獄的處罰，這事實上乃是表達了對法律的最高尊敬。」

他還舉例以明其志：「我們不該忘了，希特勒在德國的所做所為都是『合法的』，而匈牙利自由鬥士的所做所為全是『不合法的』。在希特勒統治下的德國，去幫助和安慰一名猶太人乃是『不合法的』。即使這樣，我敢肯定，如果我住在當時的德國，我一定會幫助和安慰我的猶太弟兄。今天如果我住在一個共產國家，我們所至愛的基督信仰遭受壓迫，我一定會公開宣揚不服從該國反宗教的法律。」

依金恩看來，「我們從事非暴力直接行動的人，不是緊張的締造者，我們只是把本已隱藏著的緊張帶到表面。」而其目的，主要是藉這種暴露以照亮人類的良知。「人類的進步，一向不是由不可避免性的輪子所滾動的；而是由於人願意當做上帝的同工，透過不眠不休的努力所致，少了這種辛苦工作，時間本身會變成社會遲滯不前各種力量的盟友。」因此，「問題不在我們是否成為極端主義者，而在我們會成為怎樣一種極端主義者。」

身為宗教與精神領袖，金恩具有堅強的信念，甚至表示，「依正道以行而被打敗，猶勝乎行邪道而得意揚揚。」在書簡快結束的地方，

他提出了令人深思的說法,「我曾經設法讓大家明白,利用不道德的手段以達成道德的目標,乃是錯誤的。現在我不得不確認一點,即利用道德的手段以保存不道德的目的,這同樣是錯誤的,甚至更錯。」(按不道德的目的主要係指種族歧視)

〈伯明罕獄中書簡〉有許多殊勝之處,個人並非全都贊同。但紀念金恩牧師的平生志業,除了各項活動外,重溫他所闡發的理念,同等重要。

——《美中新聞》,2002年1月25日

媽祖不擦香水

我有一個惡夢

　　每當在報刊上讀到有關香港一九九七年回歸大陸的文章，總會想起美國民權運動領袖金恩牧師永垂不朽的演說：「我有一個夢想」。只是內心思及的並不是充滿憧憬的未來美夢，而是聯想到中國近代史上政權「收復國土」時，所從而產生的種種悲劇。於是，「夢想」竟轉成為「惡夢」。

　　下走從來沒有在香港居住過，實在無法矯情地自認為具有「常僑居是山，不忍見耳」的情懷。但同學、友人卻不乏自香港來的。陶淵明與子書所中所云：「彼亦人子也，可善遇之」，在香港面臨新的歷史轉捩點之際，至少這樣的祈求該當是出乎真誠，即便有點過慮，當請港澳友朋諒察。

　　在入學前的童稚期間，唯一鮮明地保存在個人記憶中的經驗，乃是四叔因為介入二二八事變，於監禁數年後，終不免遭遇被槍決的命運，惡耗傳來，四嬸關起房門嚎啕大慟的情景，雖四嬸已去世多年，但她悲絕哀號的哭叫，仍彷彿如昨。從此，二二八就具體地象徵了臺灣重回祖國懷抱的一個惡夢。

　　最近幾年，有關二二八事變的文獻與研究陸續出版，甚至有流於「時髦顯學」之虞。事變的起因，當然牽涉各種政治、經濟、社會與文化因素，也包含了偶發事件所起的催化作用。然而，或許是出於維護民族自尊的心理，其中一項相當明顯的因素，卻未能獲得更多的重視。那就是：比起統治臺灣五十又半年的日本異族政權而言，以戰勝國地位光復失土的國民政府，其素質乃是顯有不如的。從父老們的言行中，隱隱約約地了解到他們欲言又止的一個觀點：二二八悲劇的主

因，乃係一群已經習慣於比較現代化的統治方式的人民，突然之間，被一個落後的祖國接收治理，因而促成的對立衝突。

時隔近半個世紀，事後檢討起來，不能不承認，接收一個五十年來從未治理的地域，雖則人民是血脈相連的同胞，但這卻是何等艱鉅困難的大事。更何況取而代之的政權，遠比舊政權還要落伍呢！

歷史在細節上當然不會重複自己。但今天香港所面對的處境，很難全然否認，與四十餘年前的臺灣似有足資類比的地方。至少，從過往的慘痛經驗中吸取教訓，應該值得一試。

自鴉片戰爭爆發，英國就是中國近代史上帝國主義侵略的典型化身，影響國人的歷史情感至深且痛。但歷史事實卻不容國人憑主觀的好惡而遽加否定。英國是近代工業革命的發動機，民主政治的起源地，整體而言，她是人類文明現代化的成功例證。英國的學術思想、產業組織、政治制度，在在影響全球各地，且為許多國家學習師法的對象。毛澤東「十五年後超英趕美」的妄語，已被證明為禍國殃民的災難。而孫逸仙「迎頭趕上」的遺訓，依舊是國人「仍需努力」的目標。直到今天，英國仍是比中國更文明而現代化的國家。

英國在香港的統治機構，雖然是一個殖民政府，也與民主國家充分代表民意的政府結構不同，惟若純就政府論政府，則它不僅稍勝臺灣，而且遠非中國大陸的黨政聯合體所能及。論官員所具備的現代觀念與素質，論政府機構的行政效率和執法能力，論政風的清廉與守紀，坦白講，都比純由中國人組成的政府高明。也因為這樣，在香港這麼有限的土地面積上，管理六百萬人口的生息，倒也顯得有條理有秩序。硬體的公共建設多能配合環境的需要，民間商業大樓的設計，其與整體環境的協調，以及內外設計多會顧及使用者的方便與實用，更遠勝臺灣和大陸。

更重要的，則是香港經過英國近百年的統治，的確已奠下了法治

社會的規模，港人雖談不上享有自主的民權，但確實享有高度的自由，其中尤以言論自由包括新聞自由最足珍貴。遺憾的是，在九七大限的陰影籠罩下，中共人主的格局早已無形展開，港英當局的影響力只見其衰退。而在香港的回歸歷程中，最不忍見但又無從忽視的現象卻是：法治的精神與對自由的保障，皆已嚴重受到損傷，就中又以新聞自由的被腐蝕最應受到重視。缺少了新聞與資訊自由，香港的光采勢必減去一半。

歷史事件的類比當然有它內在的限制。香港的面積小，而且中共新華社在香港運作多年，儼然是影子政府，對香港較為了解，比起當年國民政府半世紀未能涉足臺灣，當然形勢好得多。但關鍵的問題仍然在於：香港回歸之後，中共的統治機構，會比港英政府更高明嗎？對人權的尊重、對法治的舉行、對自由的保障，會繼續施行嗎？比較現代化且文明的人民，竟然遭受遠為落後而野蠻的政府所統治，悲劇會不會重演？

惡夢已經如實托出，只願它是一則自我毀滅而不會實現的惡夢。

——《世界日報》，1995年1月19日A9

項羽在臺北

　　史記〈項羽本記〉一開頭便提到，西楚霸王項籍（字羽）少年時代，「學書不成，去學劍，又不成。」他的叔父項梁怒而指責之，項羽振振有辭地反駁說：學書不過是記些名姓而已；學劍，頂多可以打倒一兩個人，沒什麼搞頭；他想學的是「萬人敵。」項梁於是教他兵法，項羽很高興，但卻只是「略知大意」，不肯下功夫去學個徹底。當時秦朝已一統天下，威儀赫赫：

　　秦始皇帝游會稽，渡浙江，梁與籍俱觀，籍曰：「彼可取而代也！」梁掩其口，曰：「毋妄言，族矣！」（不要亂講話，當心會有滅族大罪！）

　　太史公司馬遷這段設身處地的「局內觀察與敘述」，不僅傳誦千古，而且對政治權力心理有深入而生動的剖析，即使拿來與現在的社會現象相對照，仍然能給人許多啟示。

　　一九九六年初，經過兩千兩百年不斷的輪迴轉世（項羽約生於公元前一八五年），青年項羽再度出現在繁華的臺北街頭。他是滾滾人潮中的「新新人類」，考不取國立大學，甚至鄙視那些無聊的大學生，家裡要他進軍官學校，他又認為在南臺灣大太陽照曬下操練立正稍息，什麼事不好幹去吃這種苦頭？還不如上電動玩具店打電子戰爭遊戲，豈不更「科技化」！然而，五光十色的街頭燈彩下，項羽依然有失落之感，內心潛藏著一股尋尋覓覓的暗流，如果找不到足資認同的對象，學書學劍兩者皆不成的青年，顯然只有走向自我毀滅的命運。

　　偶發事件，往往是歷史發展的催化劑。就在項羽百無聊賴的時際，臺北竟發生了一起震動全國的社會新聞。報紙用最大篇幅的版面

來報導，期刊更以彩色照片呈現血跡斑斑的出事現場。元月十五日，臺灣主要幫派之一的四海幫「教父」陳君，在自家開設的餐廳與兄弟們飲宴時，沒想到有人膽敢進門鬧場，兩名殺手，找到狙殺對象之後，二話不說取出手槍立即行動，朝「大寶」陳君連開四槍，當場奪去性命，陪客「俠哥」藺君也喪生槍下。此事雖然是江湖中人的相互砍伐，除了媒體的報導之外，耳語的傳佈尤其加油添醋，也許一場腥風血雨的江湖重組，正在醞釀著，治安機構的負責人心頭有隱憂。

項羽仔細讀過一切相關的報導分析，也在街頭聽了不少的耳語流言，內心早已認定陳君是個「人物」，四海幫的徒眾與有關事業員工，人數可能已近萬，「學萬人敵」（用現代的企業管理術語，應該是「學習萬人管理」），這不失為一個好機會。陳君的告別式和喪禮，項羽覺得這是「見證歷史」的一刻，絕對不可錯失，一早便去現場瞭解觀察。

這次喪禮，果真不同凡響。到場致祭的有總統候選人，不少有頭有臉的高官政要，知名的工商界領袖，均曾現身，至於各級民意代表，以及各界所送的輓聯，那真是為數太多不及備載了。至於喪禮現場，四海兄弟的黑色西裝，肅穆神情，行動之整齊劃一，顯然訓練有素，動用人員之多，是現代喪禮少見的。據說參與公祭的，還有外國幫派代表，日本的山口組、美國的越青幫等等，可見「國際化」不祇政府在做，民間江湖中人早已身體力行矣。出殯行列一啟動，黑色車隊之壯觀，令人歎為觀止，另一更大幫派竹聯幫則是以大隊人馬助陣，給四海老大身後最大的面子。行列中的馬隊，更令人有思古之情，乃是現代喪禮所罕見的景像。送別行列綿延數里，交通為之管制，路旁復有警察維持秩序，雄矣偉哉。人生在世，終不免一死，死後而有這樣的場面，青年項羽一思及此，不竟脫口而出：

「彼可取而代之也！」

說完自己都不免覺得怎會說出這麼有學問的話。

　　然而，項羽或許不知道，就在出殯行列經過的路上，有位警察派出所的小主管，由於執行勤務所需，全程觀賞這個場面浩大的喪禮，這位現代的劉邦與地方上的三教九流往來密切，也霸氣十足地說：「大丈夫當如是也！」

　　楚漢相爭的歷史，是一段充滿人性弱點的政治角逐記錄。項羽這位悲劇英雄，用他非學理性的軍事天才，配以個性上的優柔寡斷，掌握了中國人對悲劇英雄的想像。劉邦則是流氓知識份子的原型，他的彈性大度有時與下流無恥並無區分，然而百折不回的堅忍，敗而後起的勇毅，卻造就了他在政權爭奪上的成功。國史上這段著名的政治角逐，對後世的人顯然發生了歷久不衰的教育功能。很不幸的，中國政治人物絕少能夠全然擺脫它的影響。

　　臺灣邇來有關黑金與政治的糾葛，其實從某一意義言，實在是頗為傳統而具「中國特色的」。警察人員及民意代表與黑道之間的瓜葛，近來成為熱門新聞，但大家可別忘了，原國泰信託負責人蔡君，與竹聯邦大老陳君的商業合作，金額係以百億計。在這樣的政經結構下，當國人邁入廿一世紀時，我們所期望的將是怎樣一種領導人？

　　草寫這一則現代寓言，心頭沉重，久久不能釋懷。

——《美中新聞》，1996年6月7日

媽祖擦什麼香水

臺灣社會的宗教景觀，一言以蔽之，就是「宗教的百貨公司」。跟臺灣社會的基本格調很類似，自由之中夾帶許多混亂，興旺之餘含藏不少脫序失法的現象。幾乎任何品牌的宗教都有人宣揚，也都找得到信徒去追隨；在佛教、基督教、天主教、道教、回教等之下，又分成五花八門的宗派，供各類心靈顧客選擇。有些宗教學者憂心忡忡地表示，這種宗教過度世俗化的情形，並非社會大眾之福。個人則想進一步指出，其實這也是把俗世予以神化的結果。

去（一九九六）年轟動一時的「宋七力事件」，使得「本尊」與「分身」這兩個名詞，變成一般人的日常用語，應用範圍極廣，從批評政治人物到同鄉會的話劇，皆可聽到；「妙天禪師詐財案」，使「靈骨塔」的交易廣為人知，原來「靈魂」的安頓也是一項利潤甚高的企業；「清海無上師」屬下的修道場所，則因為土地的取得可能不符法定程序，一再成為新聞報導的對象：「中台禪寺」集體剃度佛學營學生及義工的風波，由於寺方初期處理不當，招致輿論界的撻伐，引起家長與禪寺的對立，逼得教育界和主管官署也不能不介入。這麼繁多的宗教事件，說明了臺灣社會，雖有許多正信宗教的長期耕耘，諸如基督教的長老會、浸信會、信義會等，天主教諸多教堂與文教機構、佛教界星雲法師、證嚴法師、聖嚴法師等領導的龐大組織，仍然無法滿足大家的宗教饑渴，正因為民眾的宗教「需求」如此高，於是種種良莠不齊的宗教「供給」便出現了，光怪陸離的奇談異象，逐一浮現。

今年一月廿四日，由臺灣中南部人士組成「湄洲媽祖金身首次來台接駕觀光團」，把供奉於福建莆田湄洲島的「元始金身」媽祖迎接

遊臺(政治敏感強烈者,則會認為是「出巡」臺灣),這當然是道教界的一件大事,但事前事後所遭致的批評和反應,實在是檢驗臺灣宗教經驗的一個樣本。

首先當然是政治觀點的問題,在早已泛政治化的臺灣,政治觀點怎能脫開統一與獨立的論題?這次主辦媽祖訪臺的陳君,本身擔任過民選嘉義縣長,以媽祖在臺信眾之多,總難免叫人聯想到他的動機是否在為選舉造勢,雖然陳君一再否認「斂財」、「統戰」等質疑,強調純綷是民間宗教信仰的行為,非關政治,但何嘗擋得住排山倒海而來的政治聯想?主張獨立的建國黨,就在機場示威抗議,口號中包括「中國人拜中國媽祖,臺灣人拜臺灣媽祖!」(如果換成耶穌基督,筆者頗為好奇,主張建立「新而獨立的國家」之長老教會,會不會也喊出「中國人信仰中國耶穌,臺灣人信仰臺灣耶穌!」的話?)

另一方面的政治考慮則與執政者較有關係。明末清初,鄭成功部將施琅不滿成功死後的朝政,轉而投效滿清,康熙二十二年(明永曆三十七年,西元一六八三年)六月十一日,施琅率大軍攻臺,終於替清朝把臺灣收入版圖,施琅為瓦解鄭氏王朝的軍心,託辭媽祖顯靈庇佑。雖然大陸研究媽祖信仰的學者李露露指出:收復臺灣神話故事,在政治軍事的情節而言,係歷史事實,但宣稱媽祖顯靈,則是統治者的杜撰,「通過神權來鼓舞士氣」。但古今映照,就媽祖遊臺這件事而言,大陸與臺灣雙方當政者心頭不免滋生「攻防意識」。臺灣方面於法於情於理均無從阻止民間迎媽祖訪臺,只好在輿論上表達立場,此所以中國國民黨所屬中央日報,在湄洲媽祖抵臺次日,便發表〈媽祖之靈源自斯土斯民〉社論一篇,批評「祖廟」、「分靈」之說,打破「正」、「庶」、「尊」、「卑」之分,呼籲大家信仰「一起與斯土斯民走過數百年艱辛歲月的真正媽祖。」

至於「元始金身」的真假問題,質疑者認為湄洲媽祖金身於文化

大革命期間已被破壞,早已無存,辯護者則認為祖廟確遭破壞,但金身則被漁民私下收藏保護!(本身就是一則現代神話)另外所謂媽祖原型石像,臺灣骨董收藏界人士卻懷疑,大陸方面誤把武士石像視為媽祖,因為臺灣有人藏有相同的東西。

長榮海運公司所支持的「國家政策研究中心」研究員林本炫,則提出了頗具文化意義的觀察。臺灣媽祖信徒見到湄洲媽祖設有「梳妝樓」,每年有人為媽祖上漆整妝,始終保持「容光煥發」,財大氣粗的臺灣信眾,既然願意慷慨捐款給大陸的媽祖廟,為自己家鄉臺灣各媽祖廟興建梳妝樓,自無問題!但林君指出,臺灣媽祖本身有黑面粉面之分,崇拜「黑面媽祖」的信徒,認為被香火燻黑的黑面媽祖,代表的是靈氣、神氣、人氣的匯聚,歷史久遠而正統,是靈驗的真正象徵。新供奉的粉面媽祖得向黑面媽祖乞求香火。這當然是臺灣信徒自主意識的表現。個人則想提出一點,已故畫家席德進對臺北龍山寺神像因年代久遠而生的顏色最表欣賞,絕非人工所能締造,某年寺方整建重新上漆,席德進痛心失望極了!

媽祖林默娘辭世時才廿八歲(如七八十歲故去,神話必少很多)。據說臺灣信徒正在應該為她擦什麼香水而費心,用國產的明星花露水稍嫌便宜不敬,但最高級的香水全是外國東西,美、日、法貨都可能產生不當聯想。請恕筆者大膽直斷:媽祖不需要香水。

——《美中新聞》,1997年2月14日

二二八事件

——我思我感

　　自從解除戒嚴法以後，民國三十六（一九四七）年二月二十八日所發生的事變，隨著政治生態的改變、社會意識的遷化，它在臺灣史上的角色與地位，遂產生了幾乎全然相反的定位。

　　「二二八事件」早期是許多臺灣人內心暗藏的隱痛，受難人家屬心頭揮斬不去的魅影，絕大多數國民欲言又止的禁忌，官方難以處理的歷史包袱。另一方面，它也是光復以後，政治反對勢力和異議人士一再指涉的道德訴求。一九五〇年代，廖文毅於日本進行臺灣託管及獨立運動，七〇年代轉以美國為重心；一九六四年彭明敏「臺灣人民自救宣言」事件，後於一九七〇年「脫出」臺灣；一九七五年「臺灣政論」事件、一九七七年「中壢事件」、一九七九年底「美麗島雜誌社高雄事件」；此期間「黨外」勢力興起，以迄於民主進步黨的成立和政府的默認，直至去（一九九六）年臺灣建國黨的建黨；這些林林總總的事件，背後或多或少都有著「二二八事變」的心理因素。

　　有關二二八事變的史料收集整理研究，官方雖未明令禁止，但起初多由民間或學者憑個人力量私下進行，部分目擊者留下零星的回憶，臺灣共產黨人事敗後逃往中國大陸所寫的追述，少數美國外交官對事變的記錄，部分來臺大陸人士當時的見聞，這些資料比較片面而不夠完整。臺灣獨立聯盟或中共方面有關二二八事件的觀點，則又不免有「為政治服務」之嫌。早期由國民政府或國民黨提出的報告雖較全面，但統治者觀點的記載，世人不免質疑。較無政治色彩而具學術價值者，可以戴國煇、葉芸芸著的《愛憎2,28》為一例。解嚴後，臺

灣省政府、行政院均出版了大部頭的訪談與史料彙編，中央研究院在歷史學者賴澤涵、許雪姬等的努力下，做過許多口述歷史和史實整理的工作。

政府方面，先有李登輝總統的鞠躬致歉，復有立碑誌念之舉。最近有關臺北市紀念碑文的內容，對蔣介石的責任問題究應如何提法，事前事後雖曾引起爭論，但銘刻勒石，勢在必行。（某些縣市碑文早已樹立）最新的發展則是：今年二月廿五日，立法院以六十八票對三十七票，通過了「二二八事件處理及補償條例第四條條文修正案」，「定每二月二十八日為和平紀念日，為國定紀念日，應予放假。」

二二八既已經過法定程序，變成國定紀念放假日，則有關「二二八事件」的定位，實已塵埃落定，告一段落。此時此際，或許可以用比較「冷」一點的眼光，來抒發個人的觀感。

二二八事件的起因，當然可以從學理以分析其政治、經濟、社會和文化隔離等等因素。但是有一項因素，即使目前二二八的研究有流於「時髦顯學」之虞，仍有必要提出一談。依個人對近親父老們言行感受的熟悉與理解，他們認為此一悲劇的主因，乃係一群已經接受比較現代化統治方式的人民，突然之間，被一個落後的祖國接收治理，從而促成的對立衝突。（最不客氣地講，就是大陸的中國人，其素質不如臺灣人，但這樣講太傷感情，而且損及民族自尊－臺籍父老並不會荒唐到以為臺灣漢民族是大和民族！何況三十八年隨政府撤退來臺的高級官員、學者、商人等，高品質者比例不低，略可平衡上述心理。）比起統治台灣五十又半年的日本異族政府，以戰勝國地位收復失土的國民政府，平心而論，其素質乃是顯然不如的。這一觀點容易引起誤會，也可能被指責有挑起族群衝突之嫌，但徵之過去父老們的觀感，以及最近見到的當時大陸來臺青年對軍人的記錄（世界週刊一九九七年二月廿三日，黃鐸〈一個內地青年見聞實錄，「二二八」日記

五十年〉），不能不承認這一個客觀事實。

　　正由於前述的心理因素，個人於成長過程中，耳聞於近親父老者，凡一提及「中華民國政府」，他們私下每有鄙夷之意，尤以知識份子為最。外省人會以為臺灣人有「崇日」奴相，多少本乎此。同時，這種認知態度更進一步發展為「朝末心態」。此地大膽創用此一名詞，係在說明歷經二二八事件之痛的近親父老，對政府並無尊崇之感，認為這樣一種政府如何能夠久長，根本就是一個朝代到了末期才會有的現象。當然，他們對「政治」便產生疏離而輕視之感，子弟有心從政者多不加以鼓勵，經過國家考試入政府機構當公務員，還是有長輩譏諷：「朝末了，做什麼官？」

　　回想父老們的一生，前半生在日本殖民統治下過活，屬次等國民；臺灣光復以後，語言文化有障礙，社會秩序失調，物質缺乏，不幸又發生了二二八事件，他們突然之間成了一群「沒有國家或政府可以去效忠」的人，他們或許懷念一些日治時代的青春年華，要他們主觀上心甘情願地效忠中華民國政府，又做不到，間接損及他們對臺灣可能有的貢獻。政府自然有責任，當事者或亦有可檢討之處。

　　追憶往事，重點不在討歷史的債。推己及人，借古喻今，心頭縈繞的卻是：已在臺灣生息數十年的大陸來臺同胞及其子孫，不論在臺灣或在國外，千萬不能因為錯誤的政策，而成了「失去效忠對象」的人，臺籍父老的承受已經夠了，悲劇何忍重演？

　　　　　　　　　　　　　　——《美中新聞》，1997年2月28日

人權紀念碑

「在那個時代，有多少母親，為他們囚禁在這個島上的孩子，長夜哭泣。」

島指的是孤懸於臺灣東南海岸的綠島。有一首流行歌「綠島小夜曲」，旋律優美，歌詞文雅，傳唱了數十年，不少人約略以為歌詞背後含帶一個淒怨哀婉的背景，低訴著島上某一群人的心曲。撥開由聯想所築起的氛圍，現實中的綠島，在近現代史上，向來是拘禁重刑犯、政治犯和思想犯的一座孤島，日本佔據臺灣的時代如此，國民政府退守臺灣以後也如此。除了原本就在該地世代營生的原住民，以及部分重刑犯外，留居綠島的人士，他們的青春壯懷，基於政治因素，便在陽光與潮騷的升落交迭中，隨著歲月而褪色甚至消逝。母親的長夜哭泣，什麼時候才會告一段落？

文首所引，乃是一九九八年十二月十日動土，將豎立於綠島的「人權紀念碑」上的碑文，據知是作家柏楊所撰，柏楊曾因文字獄囚居綠島九年餘。依倡議建碑的人權教育基金會，「人權紀念碑」原本有意稱之為「垂淚碑」，這個名字實在太悲情，並且太消極，改為現在的名稱，不僅較富意義，更重要的是與人類文明的演進契合，將華夏文化與世界文化匯通起來，以彰顯人權的普世價值。事實上十二月十日，正是聯合國公佈「世界人權宣言」五十週年紀念日。

平心而論，人權理念並不是中華文化的精華之處。不論就理論或實踐來觀察，或者檢視過去歷史的記錄與當前的政治現實，國人的人權方面的表現是令人遺憾的，而且與現代文明認可的標準頗有差距。旅居海外的人喜歡誇言「宣揚中華文化」，至少就對人權的尊重而言，

個人實在看不出有什麼可以和值得發揚的地方。當然，比較起來，在台灣的中華民國，近五十年來－尤其是最近十餘年，於人權方面確實已有長足的進步，官方和民間社會，均已認可且在相當程度上踐履了基本的人權要求，政治領袖往往不無自豪地聲稱臺灣社會業已符合國際水準，雖有自我宣傳的意味，但尚非全無根據的浮辭。

相形之下，中國大陸的表現就未免太令人失望了。就在最近，中共政權又接連不斷地逮捕異議份子和民運人士，徐文立、王有才、秦永敏等為了籌組合法的反對黨，竟被判重刑，刑期均在十年以上，引起國際間的抗議聲浪。另一方面，仍然重施故計，把部分異議人士如劉念春，放逐到美國。可以想見，中共官方的說詞一定是被逮捕判刑的人「危害國家安全」，中共乃是「依法審判」，面對外國的譴責，自然又祭起反對外國「干涉內政」的老套。中共政權越是熟稔於玩這套把戲，越是說明他們無視於文明社會的人權標準。把人民當做「人質」來對待，以大陸人口之多，利用起來當然是「資源豐富」，但這樣的「內政」，豈能擺得出來說得出口？

這次綠島「人權紀念碑」得以興建，號稱是亞洲的第一座人權紀念碑，譽滿全球的南非總統曼德拉特別為此拍電致賀。是不是「第一座」，實在不重要。倒是政府與民間，對於樹立這樣的紀念碑，彼此均有共識，立場並無不同。十一月廿三日，柏楊赴總統府拜見李登輝總統，李登輝以自己青年時代也曾遭遇且感受「白色恐怖」，對「人權」理念及政策的確早有所見，彼此溝通起來全無阻滯，對柏楊所請且極能善體人意全力配合，竟使比總統年長一歲的柏楊不禁起身擁抱李登輝。這真是令人感動的一幕。十二月十日的動土典禮，雖然風雨交加，行政院長蕭萬長仍然冒著風雨鏟土致詞，宣告「人權時代已經來臨。」然而，筆者絕對不願漏掉下述：同時參加典禮的民進黨立法委員林濁水，佇立一角遙望柏楊，卻很感慨地歎道：「當權者輕蔑地解

決了這個問題。」

即使我們故意把林委員的感慨解釋成不願成人之美,或解釋成飽含恨意未能走出悲情,然而在一個尊重人權的社會,林委員有權利說出他的想法,雖則可能使人產生極大的不快,民間與官方自可表示不贊同的意見,但必需尊重他的權利。民進黨另一位立法委員施明德,代表受難者致詞時說道:「當權者沒有要求受難者放棄悲情的權利,受難者有高貴的任務,就是寬恕與包容。」情操至為高潔,雖則事實上顯然未必人人皆能臻達這個境界。但這是癒合歷史創傷與社會拆離的大方向,期望臺灣社會上上下下多少以此為原則,儘量求其實現。長年研究二二八事變的歷史學者戴國煇,早就總結教訓曰:恨事不恨人,可恕不可忘。(見《愛憎二‧二八》一書第三六四頁)基督教也說Hate the sin, forgive the sinner(恨罪行而恕罪人),「人權紀念碑」的旨意,應即在此。

人權的維護與遵行,乃是時刻不可或忘、長年累月仍需不斷戒備的永恆關懷,尤其面對某些以「進步」自命的意識型態時,更應該特別警惕。人類的歷史經驗說明,人權並不會自然地隨時間的推移而改善,今不如昔的情況常常出現。也許,我們無法完全消弭母親「長夜哭泣」於無形,但讓哭聲減少,則是人人的責任,誰無母親呢?

——《美中新聞》,1999年1月1日

元宵拜新丁

　　我的故鄉是臺灣最南端的客家聚落。客家人是很獨特的一個族群，有些風習與眾不同。故鄉的掃墓叫掛紙，日期不是四月五日清明節，而是由各別村子決定農曆二月的某天舉行，村村有別。我們的元宵節則是農曆正月十二，氣氛極為熱烈，可並沒有常見的賽花燈、猜燈謎等節目，它有個更具體的主旨：拜新丁。

　　春節過後，初九天公生，隨即忙著辦元宵。三山國王廟庭的廣場搭起帳棚「福廠」，自前清光緒四年訂造以來，一直沿用至今。外頭另拼置一張面積廣大的供桌。除了王爺外，境內鎮守各處的土地伯公福德正神，全部請來陪祀。神祇的世界彷彿人間社會的拷貝，三山國王有它的轄區，遇有喜慶，便把分駐各地的人馬召回，共同過節。

　　請神起駕是很肅穆的，但一旦歸返本廟時，抬神座的壯士身子往往激烈幌動，配上喧天鑼鼓，辟辟吧吧的鞭炮聲，火藥爆炸後的氣味，裊裊升上天際的青煙，讓旁觀的人親自領受神威赫赫。抬過神轎的男士，又不時繪聲繪影地形容轎隊一抵廟口，大家便會不由自主地舞動身軀，若有神助。這或許只是穿鑿附會，但經過口耳相傳，鄉民更加堅信並仰賴王爺的庇佑。

　　父老們傳說，清朝領臺以後，便對臺灣頒布「移民三禁」，加以明鄭軍事領袖劉國軒籍隸客家，與率軍渡海征台的靖海候施琅將軍交鋒過，施琅奏請清廷不准客家人入臺。乾隆年間，雖然客家人平林爽文之亂有功，曾被三賜「褒忠」，但也只准當兵的男丁赴臺。這一連串的禁令長達七十六年，客家莊缺乏女性的撐持，對當時的墾殖農業社會而言，男新丁是多麼受到期待與重視啊！祖先們於是藉正月十二

元宵新春集福的日子，祈求諸神護佑男丁順利成長，保鄉衛土。

　　外頭的大型供桌，由各戶人家備三牲敬拜，不管家裡過去一年內有否添丁，即使沒有，總還可以寄希望於來年。這戶人家拜完把牲禮撤走，立刻有別戶人家遞補，供桌雖大，卻很少閒著，來來往往，源源不斷。不過，供桌的景況只是序曲，真正的重頭戲，則在棚內。

　　「福廠」內另有一番氣象。喜獲麟兒的家庭，將一盆一盆的新丁粄移入供奉，這些糕餅量的多寡、質的精粗，自然不免跟這家人的經濟情況有關。糕餅本身的形狀顏色各具特色，而上頭插的鮮花尤其五顏六色，爭奇鬥艷。每盆新丁粄均應附貼紅色條幅，上書新生兒和父母的姓名，先向眾神報妥戶口，然後祈求神的賜福及保佑。一眼望去，在代表喜氣的紅色主調下，間雜著高高低低的花束，鮮黃、嫩綠、純白、淡青，種種色彩點綴其間，繽紛有致。

　　到了夜晚，只見「福廠」裡面人頭攢動。善男信女穿梭不停，除了向添丁人家道賀外，順便也來觀賞各家別出心裁的糕餅和花飾，心中難免予以品頭論足一番。在觀賞之餘，人人不忘拈香敬拜，口中低訴著自己或家庭的祈願。棚外廣大的天地夜幕低垂，棚內卻燈火通明，繚繞的香煙，混合著吵雜的人聲，身影幢幢，鮮花糕餅靜默作陪，凝成一團氤氳，人間天上，在這有限的空間一角，暫且匯通了。

　　小時候，最感興奮的，其實是元宵過後，把新丁粄分送鄉里親朋的那一刻。除了敦親睦鄰外，不論是送餅還是受禮的人家，大家一起分享這份喜氣，心頭漾著溫馨和希望。在物質還不算很富裕的年代，新丁粄的滋味，仍是少年時期的美好回憶之一。隨著經濟發展的腳步，供品的式樣口味也相應多樣化和精緻化，神祇們也開始享受各種名牌糕餅。鄉土味重的老添丁粄，反而已不多見，偶有機會嚐到，咀嚼的好像是思古的幽幽之情。

　　長大以後，遠赴外地求學，故鄉變成憶念的焦點。但像過年、元

宵、掛紙等大節日，卻總要想方設法親自返鄉一行，故鄉的召喚，既是義務，也是權利。結了婚成了家，生活上的羈絆更多，回鄉已然是攜家帶眷的大事一樁，次數竟依歲月的增長而遞減。許多禮俗，只得委託長居故鄉的親人代辦。長子在臺北出世，次年的拜新丁，由於工作關係無法脫身，轉請家鄉的大姊代為處理一切，得空才帶孩子前去三山國王廟燃香敬拜。次男出生於美國，重洋阻隔，只好再次煩擾大姊，所幸早已取妥中文名字，新丁叛紅條幅上的名字才不必用英文書寫！類似這樣的例子越來越多，元宵拜新丁也逐漸「國際化」了。

海外華人群居的大埠，一到我國傳統的節日，中國城的街景，店家適時推出的應景商品，社區華文報紙的版面，多少都能使人感受到具體而微的過節氣氛，元宵節自不例外。然而，無論是在臺灣或是海外，像故鄉元宵拜新丁的實況，依我有限的生活經驗，實在是唯一僅見的。及今回思，對先人適應環境的智慧與能力，化困局為轉機的弘毅堅忍，不能不萌生崇敬之意。於新春降臨未久的元宵拜新丁，其實就是對綿延不絕的繼起生命之祝禱，比起賽燈籠、打燈謎等，似又含蘊了更深一層的文化精神。當然，如能與時俱進，把女丁也包括在內，對生命的祝禱自然益加圓滿而周全。

僑居國外多年，故鄉的音聲形貌，依舊不時出現於想望之中。其實我也知道，三山國王廟已經擴建，家鄉經歷了許多有形無形的變遷，好壞兼備。然而，對旅居海外的遊子而言，故鄉就是心靈上永恆的繫念，可以寄託心曲，也不能不有所期許。每當憶及元宵的種切，自自然然便會背誦起「福廠」前堂的大門聯句：

　　昨夜弄燈兼弄月，今宵添歲又添丁。

——《美中新聞》，1999年3月5日

臺灣人具有日本情結？

在近代史上，中國與日本之間，具有強烈的愛恨情結。由於日本明治維新促成扶桑現代化的成功，從清末開始，中國現代化的知識動力，包括對西方思潮的學習，有相當大的部分乃是透過日文著作而進行的。孫中山從事革命運動，在留學生和知識界真能形成一股風潮者，以留日學生為最顯著。中華民國的開國元勳如黃興等人，國民黨要角如汪精衛，戴季陶、蔣介石等，全都有過留日經驗。其實連當時保皇派的梁啟超等，同樣於日本積極活動。中國共產黨的先驅人物像陳獨秀、李大釗等，也都赴日留學過，何況河上肇的社會主義著作，影響早期中國左派思想極大。但日本的對華侵略政策，從一九三一年東北九一八事變開始，變本加厲，終至演變成一九三七年七月七日肇端的第二次中日全面戰爭，經過八年抗戰的摧殘破壞，中國人之仇恨日本，成為那一代人永遠無從忘懷的基本心態。

臺灣置身於這種糾結的心靈結構下，當何以自處，遂成為複雜且極難兩全的困局。中日甲午戰後，臺灣割讓給日本，早期日本治臺頗多蠻橫而殘酷的破壞暴行，臺灣人包括原住民的抗日壯舉，不僅強烈且持續長達二十年，後來則漸漸利用文攻代替武鬥。臺灣可以說是日本的第一個殖民地，日本人本乎新興列強的心理，很想把臺灣建設成模範殖民地，一方面做為南進的基地，一方面則把臺灣看做與西洋列強經營其殖民地角逐爭勝的實驗場。就此而言，日本之經營臺灣可稱用心，三、四十年下來，臺灣島的整體水平，不論就基本的產業設施，或是一般民眾的平均素質，很可能已勝過中國大陸的任一省分。不幸因飛機失事去世的前臺灣銀行董事長許遠東，遲至一九九一年都

還指出，日據時代臺銀相當國際化，超過目前的臺銀。

第二次世界大戰後，臺灣脫離日本的統治。歷史進程的吊詭，再度降臨臺灣人身上。國民政府管轄臺灣不到兩年，便發生了可悲的二二八事變。到了一九四九年底，因為中共取得中國大陸的管轄，國民政府本身撤退來臺。臺灣社會經歷了極大的變動，人口構成的驟然組合，文化模式的調整，管理型態的不同，被治者與統治者均不得不互相適應。在光復前後出生的人，於成長過程中，大多會有某種內外矛盾的體驗。在學校和公開場合接受的是中華文化的教育及社會化，回到家裡——尤其是知識份子家庭，近親父老卻對中華民國政府每多鄙視之態，言談中往往推崇日本甚或把它看成模範。

「多桑世代」的心態（即父執輩，個人把它具體定位於目前七十歲到九十幾歲的臺灣人），許多臺籍子弟都有切身體會。隨著時代的前進，這一世代自自然然地步入逐漸消逝的歸宿。但「多桑世代」畢竟是歷史演展下的產物，是無從也不必忽視的事實。在這一代人中，李登輝先生位高權重，繼蔣經國之後接掌國柄，又是第一位民選總統，當權的十二年期間，的確多少改變了臺灣的方向。將李登輝總統當做「多桑世代」的代表性人物，對他讚美期待也好，對他怨謗叢集也好，李氏退位以後，依然是臺灣社會批評的焦點，而這種現象還擴延到海外華人社會，連日本國內也不能避免，恐怕是他身為歷史人物必有的代價。

這樣說不知道會不會誇張一點：臺籍人士不計，海內外的外省人士，對李登輝有好感的人，恐怕絕無僅有。而引起如此強烈的反應，最主要即是他的言論勾起了外省人士的仇日情結。至於說李氏「媚日」，則屬厚誣，且不無陷入「日本過敏症」之虞。以李登輝的教育背景和成長過程，他自然難逃日本語文的思維方式。若說他對中華文化全無溫情，則以總統之尊，又何苦還拜師學易經呢？同時，切莫忘

了：日本學者對中國學術用功之深與成果之富，比起中國學者不遑多讓，不得已透過日文思維學習中華文化，照樣有可能得其三昧。為求平衡起見，個人不怕招惹激烈反感而提出此一觀察：在近代中國著名的政治領袖中，有什麼人敢於像李登輝一樣，不時對日本人指點江山，在經濟上向日本人建言如何抗衡美國不必自卑，在外交上斥責日人軟骨無膽不敢抵禦霸權包括中共。而日本人不去忙著反駁他「干涉內政」，且還能表示一些欣賞之意，這才是國人應該自省之處。

跟任何世代同然，「多桑世代」當然有他們的侷限與錯誤。最近剛去世的臺灣史學者戴國煇，在與前監察院長王作榮對談時，大力抨擊李登輝言多必失，世界上「很難找到第二個曾經身為被統治者，卻對過去的殖民母國如此讚許的人。」二月十一日，臺灣的學者所組「諍社」舉行座談會，對日本漫畫家小林善紀的「臺灣論」大力批評。其中臺大歷史系教授黃俊傑發言道：日本在臺灣的建設「都是事實」，但近來許多論者在號稱中立的外衣下，「只談事實，不談價值」，甚至部分政治人物還於馬關條約簽訂百年時，率眾往賀，「感謝」日本對臺灣現代化的貢獻。個人以為只要社會管治得好，大家可以過好日子，誰來統治都沒關係，這種觀念當然是錯誤的，完全失去自己做主人的擔當，違逆基本人性。二次大戰後，亞洲、非洲地區許多西方帝國主義的殖民地，無不紛紛追求獨立，難道都是無效的努力嗎？

容許本文再贅言幾句，為父執輩稍做一點同情的辯解。日本即使於治臺盛期，居臺日本人為數不過五十萬左右。但拿起日據時代著名中學的畢業紀念冊，馬上發現日本學生的人數與其人口不成比例，甚至超過臺灣本地學生。若以此事相詢於父執輩，他們大都滔滔不絕地向你訴說日本人在教育上的不公平、享特權，厭惡只當二等公民。個人因此理解到他們這一代人的心理相當複雜，日本情結夾帶著對青春年華的浪漫追憶，對日本的好感在某一程度上是痛恨二二八事變的心

理投射。身為台灣子弟，個人主觀上很難相信「多桑」只想當日本二等公民！他們絕對不是這樣沒有志氣。

　　至於臺灣社會年輕一輩的「哈日族」，只是流行的社會現象，根本無需過慮，這就像開豐田汽車的人，照樣可以批評李登輝「親日」。個人尤其高興看到臺灣青年文化人寫的下面一段話（去年十二月二十七日新新聞陳柔縉專欄）：

　　在「日本過敏病」患者眼中，李登輝自然是有「媚日基因」，但從人道角度看，李登輝理該有感情的自由，他可以愛日，愛得理直氣壯，愛得和臺灣國格一點屁關係都沒有。

　　這就是臺灣主體性的痛快告白。

——《美中新聞》，2001年2月23日

小器中國

妾婦之道

近讀阮次山先生〈中美關係一席談〉，訪問前中共駐美大使章文晉，透露中共與美國締交的秘辛，文中對周恩來與毛澤東的關係，有相當生動的描述；再對照大陸出版，以毛澤東生前貼身衛士的回憶為主，由權延赤撰寫的《走下神壇的毛澤東》一書，則周總理事奉毛主席的實況，應該說已經大白於天下了。

閱畢〈走下神壇〉，使人對毛潤芝的冒險犯難及英雄氣概，印象至為深刻。但同時也不免覺得，鬍公周恩來，以總理之尊，有關毛主席生活上的小節，還得躬身處理，令人感慨殊深。

其實，在中共歷來的主要領導人物當中，周恩來享有最美好的形象。一般老百姓仰之如民之父母；受迫害的知識份子，則視其為顛沛困阨中的一絲希望。許多人對中國共產黨迄未完全絕望，主要就是因為有周恩來這個人。

近代中國，抱救國大志的人多，備大臣風範的人少。面對具有至高威權而又富於感召精神的領袖時，幾乎全跟周恩來一樣，絕不做領袖不知道或不同意的事，領袖若有新的指示，便得隨時調整自己，即令是違背本願，也以「團結」為由予以合理化。在這種「縱容」下，最高當局益發認為自己是天縱聖明、永無錯誤！神州大陸，便在如此的「惡性循環」推演下，悲劇一幕一幕不斷地展現！

孟子曰：「以順為正者，妾婦之道也。」妾婦之道不止，國事何以為正？

人民不是人質

根據臺北中央通訊社四月廿五日的專電，鄧小平於今年春節期間，對任上海市長的朱鎔基指示說：「如果西方各國再堅持經濟制裁，不妨對沿海各地鬆一鬆，讓那些為數不少的、總是想外逃的人，不論用什麼辦法，就讓他們跑出去；步越南後塵，被人譏笑也不要怕。」

這類以輸出難民做威脅的喪氣話，鄧小平前前後後講過很多次。一九七九年，美國與中共達成關係正常化，卡特總統訪問北京，談到中共的人權問題，鄧即表示大陸如允許三千萬人移民美國，美國受得了嗎？卡特為之語塞。

在中共主政者的心目中，人民好像是小孩子把玩的可以任意捏搓的泥土。要老大時，則語帶脅迫地說，十一億人只要每個人吐一口水便可把香港或臺灣淹沒；遇有責難時，又誇稱餵飽十一億張嘴乃是了不起的成就；反擊西方的人權批評時，即表示十一億人當中隨便放出一小撮，就是人類歷史上為數最可觀的政治難民。

人民可以成為政權居功的資產，也可以是諉過的工具。在中國共產黨的戲法之下，人民可以什麼都是，但顯然絕對不是國家的主人。

明末清初黃黎洲著《明夷待訪錄》，痛陳專制王朝的君主視天下生民為私人的產業。今天中共執政者則退化（從他們的角度講則是進步，多麼恐怖的進步！）到把人民當做人質，產業多少還得維護，人質則唯有放與不放而已。

人民既已淪為人質，請行行好，千萬不要再繼續「為人民服務」

——《美國時報週刊》，1991年5月11-17日

毛澤東去世廿週年
——不會記取歷史教訓的人群，
　　註定要重蹈覆轍

　　一九七六年九月九日下午三時，北京的廣播正式宣佈毛澤東去世，消息傳出瞬即成為全球各地的頭條新聞。到今（一九九六）年九月九日，恰為二十週年。據說中共中央前已決議，逢十、五十以及百週年忌日，官方才會有正式的紀念活動，北京並沒有發動和舉辦官式儀典。倒是此地的芝加哥論壇報，在當天於頭版刊出長篇報導，談大陸流行「毛熱」的情況。

　　毛主席去世不久，江青等四人幫被逮捕而失勢，華國鋒的過渡政權，為時短暫，鄧小平復出以後，成了真正的實權人物，改變了毛長久以來加諸於全黨、全軍、全國各族人民的政策及路線。在那幾年間，每逢毛的忌日，除了殘存的極左毛派份子，會在紐約等大都市辦點零星的紀念活動外，毛澤東是被冷落的。以美國的華埠為例，直到目前，每年孫逸仙、蔣介石的誕辰和忌日，始終有一批人會去致敬與誌念，相形之下，毛的地位便顯有不如。

　　而在學術界，著名的歷史學家余英時，在毛去世後撰有〈從中國史的觀點看毛澤東的歷史位置〉，文中指出：

　　回顧自一九七六年毛澤東逝世以來的輿論變遷，我們不難發現一個極顯著的客觀趨勢，即中國人對毛澤東的評價（包括中共官方在內）是愈來愈低；而且這一趨勢還在繼續發展之中。這裡便透露出一個極值得注意的消息：毛澤東和其他二十世紀的大獨裁者如希特勒、史達林一樣，其生前那種使人不可逼視的「偉大」，完全是由現實的權勢

所烘托出來的。權勢隨生命以俱去，剩下的只是一片空虛。不但如此，毛澤東的死後命運較之希特勒和史達林尚遠有不如。

一般人都知道，中國共產黨對毛主席曾經有過正式的「三七開」的評價，即七分功勞，三分過錯，海外的人或許認為這種說法太過於「溫情」，但對長久以來視毛如神般「一貫正確」、「偉大崇高」的中共而言，其實已經是毛行情下跌的跡象。在中共政權的折磨下風骨受損的名哲學家馮友蘭，晚年評毛有言：毛氏思想發展的第一階段是科學的，第二階段是空想的，第三階段是荒謬的。三階段中有兩個階段是錯誤的，這又比三七開更往下墜了。即使在後生的青年人當中，對毛已無直接的印像，卻也對他另有觀察，據報北京大學研究生入學考試試卷，某生以「功比天高，罪比海深」批毛，引起學校當局的驚恐，因為這已超出功過的對比，而是直指其為「罪」，功的部分成了陪襯，「罪」畢竟比「過」更嚴重多了。

然而，從各種中外文報導中，卻也得知中國大陸近年來一直有「毛澤東熱」的現象，毛的相片、徽章、紀念章、毛語錄、歌頌毛主席的歌曲，成為各地大街小巷的熱門商品。甚至某些追求藝術自由而移居美國的畫家們，照紐約時報星期專刊的報導，也頗有一些人染上「毛熱」。這又是怎麼回事呢？難道前面提及的史學家、黨中央、哲學家、青年知識份子的觀察不正確嗎？

有人解釋稱，改革開放所帶來的是貧富不均、貪污腐化，鐵飯碗的保障轉變成對未來一無把握的焦慮，相形之下，毛澤東時代大家過的日子多麼單純，社會秩序比現在好得太多，燒殺搶劫絕無僅有，妓女連生存的機會都沒有，毛澤東熱代表的就是一股反現狀的懷舊情緒，在回憶中遂把過去理想化甚至美化了。有人指出，大陸社會科學院的研究顯示，在毛澤東當政的二十餘年中，中國人民死於非自然因素者高達八千萬人（臺灣國民政府新聞局長蘇啟曾引用此一數字，芝

加哥論壇報也提到同一數字，可能出自相同的來源），在患有「毛熱」者的眼光中，只不過是「大功」之下的小小過錯而已！

其實，中國人如果不自欺的話，應該進一步探究：懷舊不過是表相而已，表相之下還有更根本的因素。據大陸學者張琢的整理分析，魯迅所洞察的中國「國民性」，其弱點以「卑怯」為首，「卑怯」背後有某種凶與怯、麻木與旁觀的複雜結構。形象地說，中國人民被某個暴君強姦了，事後的回憶竟然是對方何其威猛英武，連站出來指斥罪行的勇氣都欠缺！大陸作家徐剛於〈沉淪的國土〉長文中，檢討的雖以環境保護問題為主，但他也痛陳「建國」四十餘年來，九百六十萬平方公里的祖國大地，從未平靜過。「人與人鬥，人與地鬥，人與天鬥，天、地、人都面目全非。」（別忘了，這不正是毛澤東的真精神嗎？）在不斷製造各式各樣的鬥爭和敵人之後，卻發現「我們最危險的敵人，原來竟是我們自己。我們自己砍倒森林，我們自己污染河流，我們自己讓國土淪喪、人心淪喪。」話極沉痛，但也正好烘托出「自我覺醒」的重要。中國人被毛澤東及其權力結構統治如此之久，乃是中國人自身的恥辱，如果沒有這種自覺，前途是不會多麼光明的。

悲憤之餘，總是不免想起知名報人張作錦的一段親身經歷：一九九三年冬，張先生赴北京開會，當時大陸又染毛熱，毛澤東的像、歌以及語錄，鋪天蓋地的捲土重來。坐計程車、連車裡都貼毛像，於是和司機聊天：「為什麼貼他的相片？」「避邪用」「真能避邪？」「當然！還有誰比他更邪？」張先生及其同伴為之傾倒。

個人則從此中看出了一絲曙光。

——《美中新聞》，1996年9月13日

槍桿子出紕漏

中共政權國防部長遲浩田最近訪問美國。十二月十日,遲浩田於華府美國國防大學發表演講,在回答聽眾有關天安門事件的問題時宣稱:

「作為當時人民解放軍總參謀長,我可以說天安門沒有死一個人。」

筆者也可以大膽地推測,遲部長這次訪問,今後自由社會的人們回想起來時,絕對不會是美國政府如何以隆重的軍禮歡迎他,如何讓他參觀美國先進的國防科技,如何使他親身經驗設於夏威夷檀香山的太平洋美軍司令部;甚至也不會是有一部分國會參眾議員基於堅強的人權理念,反對柯林頓政府邀請天安門事件下令攻擊者來訪;在遲浩田順利完成訪美之行後,長久縈繞在大家心頭的,必將是前引這句話。

自由民主社會的新聞界,非常歡迎所謂的 one liner,只要一句話,或是畫龍點睛,或是一語解頤,或是語不驚人死不休;總之,對新聞從業員而言,新聞對象能夠主動提供這一種素材,正是求之不得的幸事,順手即可加以運用,做轟動的標題,或當做報導的引子,皆無不可。美國政治界,頗有一些人擅長活用這種技法,如以前的雷根總統,著名的黑人民權運動領袖傑西·傑克遜牧師,都是極受歡迎的例子。當然,運用錯了,一語成讖而斷送本身的政治前途者,也不乏其例。

遲浩田在國防大學這麼一句話,所產生的效果,恰好就符合前節所述。然而,個人一時的失言事小,其所代表的政權與國家形象的損

失事大。身居高位的人，不論中外古今，均應謹言慎行，信然。

美國智庫布魯金斯研究所國防政策專家柯布，曾親自聽到遲部長知口否認天安門屠殺一事，進而責怪媒體過分誇大渲染，他當時在餐會上立即起身反駁，「不要侮辱我的智能。」事後柯布表示，現在已經不是可以隨便把責任推給媒體的時代，他若不義正辭嚴地予以駁斥，可能使遲浩田得到一個錯誤的印象，以為他可以隨意歪曲事實。紐約時報專欄作家羅森索於十二月十三日發表專文，以極為尖酸刻薄的語調，譏諷柯林頓政府邀請遲部長來訪。文中表示，中共選定國際人權日這一天，在首府的國防大學，向全世界表明，中共根本不在乎美國的人權呼籲及不得對臺灣動武的警告。羅森索說，中共也許失算了一點，那就是柯林頓政府是不會被中共羞辱到的，因為它已經沒有羞恥了。此文多少含有「陰謀論」的味道，這點個人不敢苟同。雖然文章指責的重點是美國政府，但明眼人都看得出來，賠上的是中共政權的形象。著名而且素受敬重的政論家喬治·威爾，在十二月十五日（星期天）美國傳播公司向全國播出的電視「本週大事」節目上，公開點名遲浩田為「野蠻人」，並且解釋說，有人認為根本不該邀請中共國防部長訪美，但他認為這次訪問使遲部長變成電視焦點還是很有用的，「因為可以不斷提醒美國人，野蠻人是什麼樣子。」

紐約時報的專欄文章，行銷全美各地，對中上階層的人有一定的影響。美國廣播公司星期天的電視評論，向全美聯播，為關心時事者所重視。至於各主要城市新聞媒體有關此事的報導，其普及效果自也不容忽視。正因為這樣，有些人遂因此表示，遲浩田這次鄭重其事的訪美之行，其價值與作用，已因這一句話而被抵消掉了。這種論斷，似嫌草率。但對中共政權刻意營造的公共關係與形象有相當嚴重的毀損，則是可以確定的。

近年以還，中共官方不斷指責西方媒體對北京存有偏見，影響所

及，中國大陸的民眾多少產生仇視西方的心理情結，甚至部分留學美國的學生，以及從大陸移居北美洲的僑民，也萌生了類似的情緒，稍有風吹草動，不免就認為美國傳媒害怕中共經濟實力日益擴展，國防武力愈見強大，於是群起打壓、抹黑中國大陸。由於中國人的思考方式，非常容易把對於當政者的批評斥責，等同於對全體中國人的批評斥責，進一步擴大為對於整個中華文明與文化的排斥抵制。這種現象，就中共政權而言，當然是正中下懷，「民氣可用」，但就整個社會的開放——不論是心靈的或體制方面的開放，以及實際生活中所能享有的自由，社會結構中所能存在的民主程度等等而言，這樣的思考方式其實是害處多多，無形中使政權對國民的壓制更易於合理化。但願國人能見出這點。

一個國家或政權的形象，最該負責的是大權在握的執政當局和政府。在遲浩田訪美之前，中共國務院官員對狄斯耐製片公司拍攝達賴喇嘛生平的電影，以威脅的言辭干涉該公司的「內政」，嚴重危害商業與藝術表達的自由，這一「向米老鼠宣戰」的惡行，已為全球大多數國家所唾棄。沒想到隔不多久，遲部長又發出更荒謬的妄語。天安門沒有死一個人嗎？如果真是這樣，那麼傳遍全世界的新聞報導、影片紀錄、當事人的回憶等等，全都是西方媒體的道具，事件中傷亡的解放軍，當然是電影業的特技人員，至於事後向解放軍慰問的鄧小平，不折不扣一定是受國外反動勢力指使的「走資派」！

毛澤東說：「槍桿子出政權。」但他並沒有說：槍桿子不會出紕漏。北京當局宜細加尋思之。

—— 《美中新聞》，1996年12月20日

還給胡適一些公道

鄧小平南巡五週年別感

自一九七八年起，中共政權改弦更張，採行改革開放政策，中國人久被封凍的才智和心性，終於有了喘一口氣的機會，也終於能在稍較寬鬆的政治環境下，展露各方面的能力。其實，這就是中國歷史傳統上「與民生息」的現代版，雖則延誤幾近三十年。因此而肇致的成就，以經濟領域的發展的最足傲人，大家有目共睹；他如政治民主、人權保障、言論與創作的自由等，雖然無法與經濟發展看齊，但也沒有回到文化大革命時的境況，進步雖嫌緩慢，畢竟並未退化，總是幸事。

在這樣基本上「形勢大好」的情形下，總會有一部分人，或基於狹隘的「愛國心」及「民族主義」，或本乎「老子今天翻身了」的不平衡心理，難免因此而得意忘形，過份誇大中國大陸的現有成就，把今後的國力做了未必合乎實際的推想，甚至把大陸目前面臨的許多困境與難題視同不存在，這一趨勢卻是令人擔憂的。日本諾貝爾文學獎得主川端康成，於一九六九年第三屆亞洲作家會議上，談到「亞洲世紀」即將來到，受到與會亞洲作家的喝采。今天對某些中國人而言，除了「廿一世紀是中國人的世紀」聽得進以外，心中還能容忍所謂的「亞洲世紀」嗎？實際上，對日、韓、泰、越、馬、印、巴等絕大多數亞洲國家而言，「亞洲世紀」才比較合乎他們的心意。

中國大陸的成就，鄧小平自有他的功績在，至少在共產體制下，他敢於堅持「與民生息」，摒棄一亂至極的「階級鬥爭」，這份擔當與

勇氣，即使鄧氏無法抹除「天安門事件」的污點，上述仍當載入史冊。倒是北京政權的官方說法，難以令人信服。官方的提法認為鄧小平是「改革開放的總設計師」，根本違背近年中國大陸流行的「實事求是」的精神。其實，共產體制才是有史以來野心最大的「社會設計」，成效如何，還需要花時間精力去爭辯嗎？中國的改革開放如果需要一位「總設計師」，還會有今天的成績嗎？改革開放之所以行得通，就在於「設計」不是由黨中央或當權者一人一把抓，而是逐級下放給實際運作的單位。

　　如果要用一句話來形容改革開放的中心思想，那麼「實踐是檢驗真理的唯一標準」這句口號，可能最為貼切。鄧小平的名言：「不管黑貓白貓，能抓耗子的就是好貓」，世人皆知，因此很多人也把上面這句口號理所當然地認為是鄧小平說的。其實，正式標舉這面旗幟者，應該是中央黨校的內部刊物《理論動態》。一九七八年五月，胡福明寫而經胡耀邦審定的〈實踐是檢驗真理的唯一標準〉這篇文章，正式刊登於《理論動態》，其後中共政權發動黨政宣傳機器大力宣揚，遂成為大陸上盛行的口號。有考證癖的人，很容易便會發現，這個句式，在毛澤東著名的〈實踐論〉中提到過，毛在這篇名文中曾指出：「馬克思主義者認為，只有人們的社會實踐，才是人們對予外界認識的真理性的標準。」「馬克思主義的哲學辯證唯物論有兩個最顯著的特點：一個是它的階級性……，再一個是它的實踐性……真理的標準只能是社會的實踐。」「……實踐是真理的標準。」由這個簡單考證，自然會以為「實踐是檢驗真理的唯一標準」這句口號，血統純正，是共產主義、毛澤東思想的光輝展現。毛澤東〈實踐論〉一文作於一九三七年七月。

　　但對不受共產主義所限制，同時對近代思潮稍具常識性瞭解的人，看到「實踐是檢驗真理的唯一標準」這句話時，除了「唯一」有

點太過於武斷外，總覺得這個基本調調，非常接近美國本土所發展出來的哲學流派「實用（驗）主義」，由查爾斯・皮爾士開端，威廉・詹姆斯加以發揚，約翰・杜威進一步光大之。杜威曾訪問中國，而他的弟子胡適更是中國近代思想史上的關鍵人物。

《胡適文存》第一集卷二，收有〈杜威先生與中國〉一文，胡適認為杜威的實驗主義主要分為歷史的方法與實驗的方法。「實驗的方法至少注重三件事：（一）從具體的事實與境地下手；（二）一切學說理想，一切知識，都只是待證的假設，並非天經地義；（三）一切學說與理想都須用實行來試驗過；實驗是真理的唯一試金石。」胡適在一九二一年六月三十日的日記內，記錄當天他在北京大學作歡送杜威的演說，上面所引即納入當天的日記中。中央研究院院士余英時在〈中國近代思想史上的胡適〉長文中，還特別問道：中共的口號與胡適「實驗是真理的唯一試金石」，有什麼實質上的分別呢？而胡適文章早於一九二一年面世。

中國共產黨始終視胡適為思想上的大敵，不僅發動過幾百萬言的「批胡」論集，而且長年不肯開放胡適的全部著作。其實，世界歷史的演變，中國社會的實踐，終於證明了胡適指出的道路比較正確，雖然欠缺「革命性」的意氣風發，也沒有針對時弊的特效藥，只是要大家耐心地一五一十地局部改革，但他的道路才是中國的出路。如果中共政權真能多少力行點「實事求是」，如果「實踐是檢驗真理的唯一標準」對億萬生靈有所幫助，那麼至少應該還給胡適一點公道，讓中國大陸的人有機會去理解他。

（附記：最近與中共有關的媒體，出現不少鄧小平南巡五週年紀念文字，別有所感，不得不發出另外一種聲音。）

——《美中新聞》，1997年1月31日

中國有沒有志氣當二流國家？

　　隨著香港回歸中國的日子愈趨接近，各地華人在七月一日前後多將舉行各項活動，以紀念這一歷史性的事件，而在林林總總的紀念活動背後，其實含帶著一股民族主義的心理和精神。加上最近由於日本右派議員登陸釣魚台，再度掀起香港、美國、臺灣等地的保衛釣魚台運動。前者是收復失土的榮光，後者是護衛國土的誓言，兩股性質不同的心緒，展露了國人民族主義情懷的多重面貌。際此時會，重新審思民族主義，也許容易被認為是報憂不報喜的烏鴉，但是若憂的存在為一客觀現實，則烏鴉可能比喜鵲更有價值。

　　自從共產主義的意識型態衰頹以後，對國際政治稍有瞭解的人，大都能夠看出，取而代之的將以民族主義和宗教信仰為主，其中又以民族主義與政治更為貼近，在某些情況下，宗教信仰甚至託身於民族主義，或者兩者合而為一，這是冷戰結束以後，國際間衝突與戰爭的基本因素。曾經擔任聯合國秘書長的宇譚，早在三十年前便公開表示，塑造國際局勢的最重大力量，並非當時還處於高峰的國際共產主義思潮，而是更古老一些的民族主義思潮。宇譚誠然有先見之明。

　　認真講起來，民族主義絕對談不上是古老的思想體系。在人類的社會生活史上，直到西方中世紀結束以後，從十七世紀開始，才有「民族國家」的逐步成立，經過十八、十九世紀的演進，現代意義（其實還是以西方觀念為主）的國際社會於焉形成，遲至廿世紀初年，民族主義才正式變成普遍被接受和同意的思想體系，在此之前，民族主義常常被認為是激進或極端的政治主張。在中國，自秦朝一統天下以後，「天下」的觀念，遠超過「國家」這個觀念，傳統的思想系統中，

並未孕育「民族國家」的想法，明清之際的大學者顧炎武指出，「亡天下」比「亡國」更嚴重，所以他鄭重呼籲「天下興亡」，是大家的責任。華夏文明根本是遭受西方國家的侵略逼迫，不得已才接受民族國家的國際體系，廿世紀的中國政治領袖，為了救亡圖存，才喊出「國家興亡，人人有責」的口號。孫逸仙先生的「三民主義」首揭「民族主義」，在中國思想史上開風氣之先，孫氏的思想與學說乃是真正具備「現代」意義的第一人，中共政權總是把他定性為「民主革命的先行者」，自以為超越他而更前進，今天看來益為失實。

共產主義和共產政權之對待民族主義，其態度始終有所矛盾。馬克斯本身是鄙視民族主義的，認為它根本是「小資產階級的意識型態」。倒是列寧有意鼓勵之，把民族主義當做反抗「帝國主義」的力量。因此一九一七年蘇聯共產革命成功以後，遂於亞洲、非洲等地鼓動民族主義，以對抗西歐的帝國主義。但在另一方面，凡於歐洲反對共產體制的民族主義，無不遭受壓制，特別是在東歐地區，史達林的鐵腕統治毫不留情。官方的說詞套用馬克斯的語言，凡係反抗資本主義政權的即為「進步的」民族主義，是好的；凡係反抗共產主義政權的則屬「反動的」民族主義，是壞的。

近兩百年來，由於中國受到西方文明的強力衝擊，短期間無法適應現代的國家體系，而廣土眾民、問題叢生的古老文明及社會，要走向現代化是談何容易的一件大業！其間的挫折與失望，對於有意奪取統治管理權的政黨或政治勢力而言，反倒成為鼓動民族主義情緒的良機和藉口。即以目前在大陸執政的中共政權為例，目睹蘇聯共產帝國的崩解，自然會對民族主義寄予期望。然而，民族主義對當權者來說，卻猶如雙面刃，利用不當極有可能傷到自己。何況任何政治分離運動，最有力的思想武器就是民族主義。北京倡導民族主義，西藏獨立派、新疆維吾爾族分離派，一樣可以高舉民族主義的大旗，北京視

之為「反動的」民族主義，在他們看來則絕對是「進步的」民族主義！

　　大陸上的學者，其實有見及此者，頗不乏人。廣州中山大學教授何博傳，深入探討中國大陸的資源與環境問題，在今年四月份香港《明報月刊》發表〈開發了幾千年的中國大地——看當代不肖子孫要還的債〉長文，就沉痛地指出：

　　前年香港有人寫了一本《走出山坳的中國》，去年北京又有人寫《中國可以說不》，更有一些人不斷提出下一個世紀是「中國世紀」的說法。這如果不是一些無謂的猜測便是狂妄症發作。

　　我想，與其爭辯這些情緒化的虛擬的東西，不如老老實實審視一下自己的困難。……中國的問題多多，剛剛在經濟的單方面有了一點粗淺的改善，還未計算付出多大的代價，許多人的生存權都未能解決，一種可怕的自大狂情結便要表露出來。這其實是虛弱心理的另一種表現。

　　發展經濟學家彭明表示：鄧小平也好，毛澤東也好，都選擇超英趕美儘快實現現代化的發展戰略。其實，中國應根據自己的國情發展經濟。「我們應該明確的定位為，我們要甘做二流國家。」這是何等睿智的觀點。

　　中國人，你有沒有「志氣」當二流國家的國民？

——《美中新聞》，1997年5月30日

論「忽然愛國」

在回歸中國的過程中，香港出現過種種五花八門的現象，大體上是由驚恐與無奈開頭，然後逐漸調整和順從現實的情勢，最後走向自我說服及配合慶祝。此其間，人們社會暨政治心理轉折之微妙幽深，雖然不容易曲盡其義，但絕對是一個值得探討的題材。

敏銳的觀察家，針對香港的政治現象與政治心理，曾經提出「老愛國」、「新愛國」以及「忽然愛國」的分類。這種分類，當然語含譏諷，可又深得個中三昧。個人尤其對「忽然愛國」至表興趣。「愛國」竟出之以頓悟式的「忽然」，這種行為實在是太有賣點了！何況含蓋的範圍至廣：從巨商富賈的大資本家，到小學課堂上忙著樹立「政治正確」的教員；從香港本地到海外大埠，隨著香港回歸各式慶祝活動的展開，不少「忽然愛國」的人士紛紛冒出頭來。如果你身居某大都市，竟然沒有看見這些人士，足證你根本不愛國，既不參與，復不關心，罪加一等。

最具體的實例，自然還是以香港本地為主。同一個人，同一張嘴巴，幾年前曾經被北京當局指為「港英的孤臣孽子」，過了幾年之後，可能又被港英當局罵為「中國的走狗」，隨著回歸期日的愈益接近，這批早期巴望獲得英國女皇頒贈勳位的社會精英，卻成為中南海要人的貴客。有位學者指出：愈「忽然」聲音愈大，也愈肉麻。一九九六年五月，北京與港英對香港回歸的問題產生頗大的爭執，有為數不少的香港商界巨頭，曾嚴厲批評港督彭定康，要求他依中共的旨意，把民選出來的立法局解散，撤回保障人權的立法，甚至要求港督利用政府機密記錄來查核文官。上述即為一例。

　　其實，也不必太少見多怪。中國歷史上凡遇改朝換代，類似的史例很多。且不提遠史，百年來臺灣的辜家與上海的榮家，略可說明。日軍侵臺時，辜顯榮赴基隆領日軍進臺北城（今天「善意」的解釋說是為免臺北被屠城），成為日本貴族院的議員，爵位在臺人中最高（筆者少時曾在臺北南海路舊書攤，翻閱日文本《偉人辜顯榮傳》，厚度與大本英文字典相當，封裡即為辜氏著勛表的堂皇相片，以不諳日文，未予收藏），富可敵國。臺灣光復後，後代辜振甫雖曾短期入獄，但不久又穿梭政經界，成為國民黨權力核心人物，對海峽兩岸事務，迄今仍甚具影響力。上海榮家在國民政府時代即已風光之至，中國共產黨主政以後，短期間有所收縮，為時不久，榮毅仁成為民族資本家的樣版，擔任人大副委員長。後代榮智健則是中方在香港資本最雄厚企業集團的掌門人，於國際政經界，動見觀瞻。

　　政治立場上的「忽然」，往往是維持「始終」（稱「跨越朝代」或更恰當）政經利益的身段，就此而言，「忽然」與「始終」是可以矛盾統一的。具體講，效忠「政權」或與其保持良好關係是始終一貫的，但所效忠的「政權」卻可能「忽然」改變。由此一角度看，目前流行的「忽然愛國」一詞，其中「國」在實際上指的是「政權」。

　　然而，要做到這樣的矛盾統一，談何容易！除了大商人或極富適應力的高官之外，普通人是很為難的，一般人只能隨波逐流，被動地當個旁觀者，但苦難往往也與之俱來。近代中國的悲劇之一，正是改朝換代的事例太頻繁。一九一一年中華民國取代滿清皇朝，一九四五年汪精衛南京政權、滿洲國（東北）、臺灣回歸中國，一九四九年中國共產黨於大陸成立中央人民政府，國民政府撤退到臺灣，一九九七年香港結束英國殖民統治回歸中國。香港因為剛完成交接，而且準備期遠較長久而有規劃，可能情形會好得多，其他的改朝換代，社會成本是非常高的。物質的破壞，幣值的驟然更改（例如汪政權發行的紙

幣、舊臺幣之兌換，比率極荒謬，大都不遵照經濟法則），與民眾生活息息相關。但更難估計的則是文化的隕落與失序。

民國十六年六月一日，大學者王國維自沉於頤和園，歷史學家陳寅恪在〈王觀堂先生挽詞並序〉中說過一段著名的話：「凡一種文化值衰弱之時，為此文化所化之人，必感苦痛，其表現此文化之程量愈宏，則其所受之苦痛亦愈甚；迨既達極深之度，殆非出於自殺無以求一己之心安而義盡也。」話沉痛之至，然而二十年後，共產主義的意識型態與統治淹有神州大陸，陳寅恪本身竟面臨了相似的文化失落。他眼盲以後的詩文，常常用相當婉轉的方式寄託心曲。國民政府若以「愛國」相責於王觀堂，中共政權如以同樣的理由相責於陳寅恪，及今視之，豈能得其平？

七月三日的遠東經濟評論在社論中指出，中共老要港人忘掉八年前發生的天安門事件，若然，則又有什麼立場去打一個半世紀前的鴉片牌，叫人愛國呢？「為什麼英國人這些外國佬，經過七八十年的時間，可以把香港這片荒漠的岩石地，建設得如此可觀，而有四千年歷史的中國竟沒有一個地方像香港一樣？」如此崇洋媚外、反華辱中的話，究竟是誰說的？敬請香港和海外的「忽然愛國」人士包涵，這是一九二三年，孫中山在香港大學畢業典禮上演講致詞時說的。

——《美中新聞》，1997年7月18日

中國，怎麼這樣小器

　　從小就被教說中國乃是一個泱泱大國，姑不論它指的是政治上的中華民國或中華人民共和國，抑或是歷史文化上的中國。隨著年歲閱歷的增長，對此一說法漸漸啓疑。最近，中國大陸官方的許多作法，尤其令人覺得中國實在是太小器（或作小氣）了，以大陸的廣土眾民，氣量這般狹隘，小大之間的反差，委實使人難以忍受。

　　幾天來，各地華文媒體大量報導臺灣歌手張惠妹，應邀於五月廿日陳水扁總統就職典禮上演唱中華民國國歌，中共宣傳部門遂指示大陸各地電視台、廣播電台等，不得播放她的歌曲及廣告，另一位歌手伍佰遭遇雷同。然而，當外界查詢此事時，外交部、文化部和國臺辦等單位，卻一律答以「不知道」、「不清楚」，一幅耍賴的模樣。然而，香港明報則於五月卅日報導說，從上週起，張惠妹的音像作品全面自大陸主要電台、電視台撤除，不僅如此，封殺行動還包括禁止媒體刊出有關她的新聞，免得替她免費打廣告。甚至有人提到，大陸官方將對張惠妹「禁足三年」。去年暑期間，張惠妹於北京、上海、廣州、香港、昆明舉行「妹力九九」巡迴演唱會，每場五、六萬人的盛況，短期內將成絕響。

　　中共政權的官方說法，大體上不外是北京無法接受一方面為臺獨助陣，一方面又在大陸佔便宜。至於演唱中華民國國歌，為什麼非解釋成為臺獨助陣，則無說明。其實，官方的心態，早於陳水扁當選時，大陸方面對加入陳之國政顧問的臺灣企業及其負責人，立即提出警告甚至威脅，已見端倪。殺雞儆猴的用意，明顯之至。臺資企業或張惠妹等演藝人員，當然有可能蒙受巨大的經濟損失，但傷人亦傷己的情況，也是必須慎加估計的。北京有一種心態，既然你在大陸賺

錢，政治立場上便非得跟我走不可，這不但是落後的想法，而且頗為荒謬。照這一邏輯，中國大陸一年對美國貿易順差高達七百億美元，既然向美國人賺了這麼多錢，美國當然是最有資格向大陸指指點點、說三道四，大陸還吭個什麼聲！

此外，個人得空不時翻閱大陸出版的學術著作，感慨亦多。文革期間刊行的書籍，連科技醫書等，往往要在卷首大字印出不怎麼直接相關的毛語錄，以資壓陣（或壓驚）。讀來真是憤怒中帶著悲憫！這種笑話，今天已減少許多。但蔣廷黻寫的一本小書《中國近代史》，大陸版仍然非得改動一些字句，才符合「政治正確」，而不能以全貌原樣面世，這在學術研究上，何等遺憾。近日手頭有幾部一九九九年九月才出版的文史專著，凡是引用臺北中央日報的文章和資料，於註腳中一律改為「中央」日報，好像「中央」兩字是中共政權的專利，「以中央對地方」的心態，連這種小地方也不放過，太小氣了吧！簡直是病態的小氣。日本的著名刊物《中央公論》，大陸是否也如此對待呢？若不，豈不是內外有別，且有媚日之嫌？臺北如有一間「中央按摩院」上了新聞，大陸媒體處理起來難道也要對「中央」兩字加個引號？

還有一件最近發生的事，不能不談。紐約時報五月八日頭版首頁，談中國大陸近來壓制自由派知識份子，文轉第八頁，除陸續以半版篇幅談這個事件外，另於同頁下方刊出該報駐北京特派員的一篇報導：「普林斯頓在中國所設語言班被迫修改教材」。美國普林斯頓大學與北京師範大學合辦已達九年的夏季語言班，由於北師大教員亓華的論文（附記一筆，紐約時報把這位女士的姓譯成Yuan，大概是誤認為元。筆者請教過華語專家，亓字應唸ㄑㄧˊ），攻擊該班把美國的意識型態滲透到漢語教學中，引起官方注意，北師大要求負責的普林斯頓大學東亞系教授周質平，將八篇文章整個刪掉，並就教材做相當修正，否則合約無法續簽。周教授應紐約時報訪問時表示，「基本上這是一項威脅。」

　　周質平教授身為當事人，鑒於紐約時報報導語焉不詳，而這一事件已引起各界的重視，遂寫下「阿Q、義和團與對外漢語教學」長文，分別在世界日報五月廿四、五兩日副刊登載。對整個事件的來龍去脈，提出比較完整的說明。他指出，中國大陸的對外漢語特別講究「用夏變夷」之法。夷狄既入中土，大陸在思想改造上絕不放鬆。證以亓華女士所言，「我們的對外漢語教學同樣肩負著抵制西方和臺灣意識形態滲透的任務」，顯然竟把外籍學生的學習漢語當做政治工作，與其說是接受語言訓練，不如說是接受思想改造和再教育。

　　紐約時報提到，教材內容有描述大陸足球迷的狂熱行為粗魯、中國汽車駕駛人不會對行人禮讓，這些內容均被視為無法接受，雖則這兩個問題顯然可見，而且大陸媒體也曾經大力批評過。周教授編有《人民日報筆下的美國》一書，過去七年使用這份教材時，他必須撕下自己寫的序文和最後一課結論，以及部分漫畫與問題討論，他說：每次請秘書嚴格而且徹底執行這一「禁毀」工作時，真有說不出的隱痛。「人權」、「法治」、「臺獨」、「西藏」固然不能談，連「隨地吐痰」、「不排隊」、「老外上當」、「廁所裡沒有衛生紙」等等，也都不許說。至於他寫的「電子郵件」課文，因為說到電子郵件不但「無孔不入」而且「無遠弗屆」，其廣泛使用，實際上也增加了言論的自由。當然在神經過敏的官方看來，也非刪去不可。

　　不論來自何處的海外華人，對周質平教授所說：「要知道一個最可愛的國家是允許人民有不愛國的權利的，而一個最值得支持的政府是允許人民批評的」，大家何妨視為檢驗中國大陸及其現行政權的標準。器量如此偏窄狹小的國家與政權，可愛嗎？值得支持嗎？情況如再惡化下去，套用中共習用的句式，海外華人會「被迫」去贊成臺灣的獨立的。

——《美中新聞》，2000年6月2日

這樣的中國人

　　假定個人從各方資訊獲得的印象不太離譜的話，那麼紐約九一一驚爆案以後，來自中國大陸目前居住美國的人士，對中國官方與民間的反應，有為數不少的人感到迷惘、失望並提升為憤怒，最後甚至產生以這樣的「祖國」為恥的情愫。

　　中共最主要的喉舌人民日報的網站「強國論壇」上，在驚爆案遍傳世界後的第一時段，便貼下了如此的反應：

> 熱烈慶祝美國佬自作自受，挨了炸，強烈支援針對美國的正義
> 行動，哈哈哈！
> 為了天外傳來的喜訊－乾杯！！！
> Mao 主席他老人家也在偷著樂呢。

　　當然，為了公允與平衡起見，必須指出，「希望網友們至少拿出基本的人道精神：不要再幸災樂禍了，積點德，晚安！」這一呼籲也重覆張貼了幾次。有人統計，在中國時間九月十一日晚上十時三十分至三十六分第一時段，該網路共有四十六條帖子，除了表示同情或譴責幸災樂禍者約七、八條外，大多數竟是表達祝賀高興或向恐怖份子致上敬意。

　　隔了幾天後，對批評之回應稍較冷靜者出現了，舉兩則為例：

> 做中國人真難！死了王偉氣憤伸張不得，美國挨炸高興不得，
> 活著真憋氣！

中國的老百姓怎麼就不能：幸災樂禍呢？

雖說有點自怨自艾，但「死不認錯」的神態，卻又透過集體名詞「中國人」這頂大帽子，耀然於網站上。

料想此時北京當局已警覺到這類言論實不妥當，網路警察開始發揮功能，出手清理了。於是網民本身覺得受到控制，上貼愈來愈困難，懷疑自己「是不是上了黑名單」？

至於私人間的電子信件，個人並無大陸親友，無緣得見。但旅美大陸人士收到國內親友的電傳，一定很多。據程寶林「蒼天在上」所引述（世界日報副刊十月六－九日），他一位出身大陸名列前茅的名牌大學，目前的省級文化單位副處級官員的友人，且有十餘年新聞從業經驗，發給他的關心信件上寫道：「……雖然我們對美國人的死亡感到高興，甚至希望死得更多，但你畢竟只做了幾年美國人，應該不在其中……」

這種「死別人」的心態，自私極了，比起佛家「同體大悲，無緣大慈」的境界，差距無法言說。

其實，華文社區報紙上，因為收到類似訊息而生氣，並進而忍不住提筆為文加以駁斥者，個人就讀了不少。有的是歎息「用什麼方法才能找回我們同胞喪失的人性啊？」有些慨歎「為什麼這些共產黨養大的、受過教育的尊貴客人，會這樣缺乏人性？」有的則鑑於「中共封鎖消息，歪曲事實已到了可笑的地步」，因此設法按下怒氣擺事實講道理，希望「起碼知道事實。知道的事實多了，偏見就少了。」

這種現象，一樣難逃國際觀察家的法眼。亞洲華爾街日報九月十四日發表一篇社論，標題〈中國的沾沾自喜〉，第一句話便是：「坦白的說，中國境內對於美國遭受恐怖份子襲擊這一事件的反應是令人震驚的。」更可怕的則是，依該報看來，「然而顯而易見地，這些公開對

在美國發生的不幸表示幸災樂禍的絕非是少數。」筆者讀到這句話的頭一個反應乃是：真希望亞洲華爾街日報的估計是錯誤的！更希望有人能提出具體証據來實現這一分真誠的希望。

中共官方的反應，比網民們自係審慎得多，然而仍有令人失望之處，那便是算計太多了，怪不得新聞輿論界老是傳聞，中國加入美國反恐怖政策是有條件的，臺灣問題則為其重點。中共政權的遲疑，是否使它在具有國際共識的事件上，喪失了發揮大國影響力的機會，倒還其次。在下想到的是孟子「孺子將入於井」的譬喻，人的怵惕惻隱之心，非所以內交於孺子之父母、非所以要譽於鄉黨朋友，更不是惡其聲而然也，這種仁之端也的惻隱心，在災難之際，越是算計越易失去。我們固可要求別國學習中國仁道思想，更重要的是中南海袞袞諸公，至少也得學習孟子，來打扮裝點自己的「中國特色」。否則，中共政權的作為，總是顯得相當「非中國」。

「國家」原本是人間最世俗的東西，但在中共政權半世紀的調教下，卻把它「神聖化」了。「蒼天在上」文中，回憶一九九六年臺灣海峽試射飛彈事件剛結束，作者回大陸與那名老友會餐，對方竟然說出：「如果臺灣悍然宣佈獨立，就用原子彈把它毀滅。寧要廢墟，不喪國土。」國家的神聖凌駕於兩千三百萬人的生命之上！這次中國大陸所呈現的「幸災樂禍」心態，眼熟之至，畢竟出於同一個模子。不忍說但又不能不說的是：這心態已經把自身置於一般文明的水平之下了。

一個不會自我反省的社會是不值得愛的。紐約九一一驚爆事件，讓大陸一批「這樣的中國人」發洩了他們仇恨美國的心理，但在同時，申辦赴美國簽証的人龍卻越排越長，甚至發出太難取得簽証的「輿論」怨聲。柯林頓總統訪問大陸在北京大學公開演講時，發問詰難他的學生，不少如今卻在美國。這些都說明了什麼？在要求海外人士愛國之

前，務請多加反省檢討，讓人覺得值得去愛。

　　哀莫大於心死，罪莫大於心毒。所幸，個人卻從一些居美來自中國大陸人士的身上，見到了一線曙光。

——《美中新聞》，2001年10月19日

病毒並不知道什麼叫愛國

　　如果不是因為伊拉克戰爭變成了全世界各類媒體的焦點，過去兩三個星期的全球報導，極可能會以嚴重急性呼吸道症候群（Severe Acute Respiratory Syndrome簡稱SARS）為頭條新聞。即使屈居於戰爭消息之下，但有關這一新疫情的評論與報導，無可諱言，對中華人民共和國的國際公共關係，實在是一大打擊，連帶地對中國人的形象也造成了某種程度的損傷。

　　華爾街日報於三月卅一日發表社論，標題為「隔離中國」，相當聳動。該報認為：此一源自南中國且迄無治療方法的新病疫，充滿許多奧秘未知之處，但它之所以迅即傳佈世界，則無秘密可言，這是中國方面一開始即刻意予以隱瞞的代價。很明顯的，中國就此一病疫拒絕發出警訊，且主動積極地向本國公民壓制相關消息，無意尋求外界的協助以找出病源，迄今仍拒絕向世界衛生組織提供急需的資料。鑒於北京峻拒採取初步的公共衛生措施，世人不得不做出艱難的選擇，而為了遏止病疫的傳佈，最有效的方法即是暫時中止到中國的一切旅行往來，直到對方採行透明的公共衛生措施。社論結尾以過去中共之壓制愛滋病資料為例，聲稱這次疫情，已使中國的問題全球化，全球隔離中國也許是令中國做出負責任行動的唯一方法。

　　紐約時報四月三日發表社論，措辭平和得多。華盛頓郵報、洛杉磯時報也都有社論抨擊此事。各大報在相關報導中，往往有評及中共官方之處。芝加哥論壇報於四月六日刊出長篇社論，幾乎以一半篇幅指責中共政權。該報指出，中國雖急欲與世界接軌，惟掩蓋國情、官府秘密作業等自取其辱的本能作為仍多。中共領導人近日雖已應允與

外界合作，但拖延達數月之久，委實無可辯解。社論引述一名前世界衛生組織醫師的說法：中國之所以否認與隱瞞，乃是因為此種病疫損及中國形象，不利觀光和商業活動。該報以為，否認與規避無從減輕必有的經濟損失，中國務須瞭解這點。情況正相反，如果國際間對中國國內的健康危險產生不確定感，則會見到外國企業逐漸消失。最後畫龍點睛地指出：此時此刻，正是中國向全世界展示它珍惜生命更勝於愛面子的時機。

　　SARS去（二〇〇二）年十一月首度爆發於廣東省，未久市面上傳聞甚多，頗有人人自危的恐慌，路人紛紛戴上口罩的新聞相片，早已刊登多時，出身臺灣的音樂人羅大佑，且以聽眾健康為由，取消深圳大型演唱會，還因此惹來一些苛評。中國或許真的太大了，官方屢見「不推不動」的顢頇。四月一日國務院外交部發言人舉行的記者會上，只見各國記者一再質問北京為何不及時向世界衛生組織通報疫情？為何不准該組織專家到病源地觀察及研究？發言人幾乎招架不住。顯然北京當局的隱瞞與不作為，漸呈干犯國際眾怒之勢，中國大陸衛生部長張文康終於在四月三日首度舉行疫情記者會，正式表達願與相關國際組織合作，而一如預期，記者會重點之一則係警告臺灣領導人勿「節外生枝」，利用機會為參加世衛組織造勢。這種手法實在可笑，問題在如果這是一個機會，則始作俑者到底是誰呀？疫情一瞞四、五個月，難道受臺灣所影響？而中共官方口口聲聲控制了疫情，誠如英文遠東經濟評論週刊引述美國之音的觀察：中共其實只是控制了媒體。

　　中共官方一再申辯對疫情實有上報，但報到那裡去了呢？負責單位又如何處理呢？人民怎麼大都不知情呢？以美國來說，有關此病的處理，最重要的早期反應當是二月十七日，維琴尼亞州洛頓醫院收進一名甫從廣東回來五、六天的女病人，這位女士在廣東度過春節，先已服用抗生素五天無效，入住醫院後，檢查出情況特殊，院方透過網

路得知類似病況源出廣東，該院立即知會當地衛生機構，該機構立刻通報聯邦衛生福利部「疾病控制中心」，據醫院發言人的指陳——整個程序在不到九十分鐘內完成（詳見芝加哥論壇報四月六日第一部份第一及十八頁）。也許這只是一個特具時效的例子，也許拿中國大陸與美國相比不太妥適，但一拖四五個月，實在不像話。官方在控制大陸網路方面如此強悍而有成效，怎不把它用到行政事務上？

說穿了，整個事件的癥結除了醫學方面的科技問題外，毛病還是出在資訊與新聞的不自由，或許也少不了所謂的「面子」問題。有人表示，以大陸十三億人口，一千多件的案件，數十人的死亡，也許真的不是什麼大事，如果此說成立，則反過來說，既然如此，這又有什麼面子不面子，何必遲遲不公佈不合作，自討挨罵呢？以中國人口之多，人與人間的生活空間並非特別寬鬆，居住條件相對而言未必多能合乎健康條件，今後衍生出新病症的可能性無法完全排除，為己為人均不必嚴拒外界的協助。以這回事件為例，英國首相布萊爾取消訪問北京，世界經濟論壇北京高峰會展期，許多觀光客取消訪問行程，經濟損失已不算小，何況還波及國境外相關的關業。其他方面的損失亦不容低估。

另有一點不得不提，香港親中人士對世衛組織把大陸、香港、新加坡、越南列為不宜旅行地區，竟以「陰謀論」視之。其實，海外親中人士也常有類似論調，一遇有媒體批評中共的言論或投書，就認為人家「故意」、「陰謀」抹黑中國，「妖魔化」中國，甚至搬出危害居美華人權益大的帽子。個人早就看出，真能「妖魔化」中國者，唯一真正具有這份能耐的，其實正是中共政權自身。異議人士的見證，臺灣駐外官員的投書，法輪功人士的揭露，固然有其影響，比起中共自招的妖魔化，還是小巫見大巫。

病毒不會懂得民族主義，更談不上「下令」它如何如何。即使處

心積慮地設法予以隱瞞，也無從取得配合，病毒並不知道什麼叫愛國。

──《美中新聞》，2003年4月11日

給政治人物卸粧

顛覆蔣經國的言行
——另外一種紀念

前行政院長李煥，不久前發表了一篇宏文〈畢生崇尚自由致力民主的實踐者——蔣經國先生〉（宏觀報民國八十四年一月十七日第五版），以紀念經國先生逝世七週年。李煥一生追隨蔣經國，彼此關懷之殷，相互倚賴之重，歷經長期而貼近的觀察，此文對其行誼的記述，自有它感人至深的地方。但是讀罷全文，卻有不能已於言者，謹略陳如次。

自蘇俄回國以後，蔣經國出任江西省第四行政區贛南督察專員，當時曾以「我們是人民的公僕」為題，勉勵工作同仁，其中有一段話說：

> 因為我們是人民的公僕，就該誠懇切實來為贛南一百六十萬人民盡力效勞，即是很小的地方都不應疏忽，務使他們毋須操心勞慮就能夠享受幸福快樂的生活。

相信一般國人讀到這段話，總會覺得這種為國為民的精神，何其崇高偉大。但筆者閱罷卻頓生悚然之感，心頭且有極深的遺憾。坦白講，這絕對不是正確的民主觀念，而是反民主的。好的話，頂多是善意的父權體制：壞的話，就是從搖籃到墳墓無所不包的極權系統。而後者的可能性又高過前者。人的幸福快樂是要他自己去操心勞慮的，他人包括政府皆不能也不應越俎代庖的。西方近代大哲卡爾波普爾（開放社會及其敵人、歷史主義的貧困等書作者），歷經一番精審的思

辯後鄭重指陳：直接為人民謀求「幸福」的政治，在所有的政治理想中，可能是最危險的。因為如此一來，必將迫使人民信持當政者所提倡的「更高」價值，以便由此一「更高」價值來達致更大的幸福。如此一來，便不能不採取盡量干涉的方式。「即是很小的地方都不應疏忽」，在實際運作上，幾乎不可避免地會變成「採取盡量干涉的方式」，能不慎乎？

李煥文中還提到退守臺灣以後，為了改造中國國民黨，蔣經國提出八點要求，做為全黨幹部實踐革新的起點。其實，類似的要求，在他擔任行政院長時，曾稍加修正重新提出，當做全國公務人員行政革新的要點，雷厲風行了一段時間，包括不准上酒家、舞廳，結婚宴客的桌數不得超過多少等等。根據李煥所述，最初的八點要求是：不參加應酬。不介紹私人。不說情徇私。不虛偽誇張。不浪費公帑。不募捐借錢。不經營商業。不收受餽贈。

這八點全屬個人道德的要求，頗多涉及經濟和金錢。其中不募捐借錢和不經營商業，由今天國民黨各黨部的主管讀來，一定有今世何世的時代錯置感！黨的經費主要來源黨營事業，不是商業是什麼？不募捐，國民黨如何參與花錢如流水的各項選舉？如何與他黨競爭？若不能勝選又如何保持執政地位？如何繼續當人民的「公僕」？同時這八點若真的身體力行，坦白講，很有可能產生「反商情結」。其實，不必為賢者諱，蔣經國就屢次強調他從不與商人深交，振振有辭地說，這並不妨礙他之推行政事。然而不能不承認，蔣經國的權力根源，嚴格講，並非真正透過政黨的正常選舉而取得的，他的家世、經歷和多年累積的威望，使他可以對富商鉅族一無所求，所以他不妨如此堅持。但衡諸實際，不僅事實上行不通，且會使政黨難以行動。

用道德誡條來約束公職人員，甚或以之做為民眾日常生活的表率，本係政治上常見的事，無需大驚小怪。但如果太強調其「清純」

程度，則問題很多。當今甚具盛名的秘魯作家馬里奧瓦加斯羅沙，在評述托洛茨基派的共產英雄時說過：「一旦你想在政治上找尋清純，必將以脫離現實而告終。」更何況，一個錯誤的決策或政策，它所造成的損害，確實遠比個別的貪污案件嚴重得多。當然，這並不表示貪污或操守不佳是可以原諒的，更不表示值得容忍或鼓勵。

現代社會，商業與政治之間存在著千絲萬縷的關係。商業固然會腐化政治、經濟、教育、體育、文化、學術等等，但它也會腐化僵硬的極權體制和頑固的傳統意識，而使生活於其下的人重獲活力與生機。政商或官商勾結所產生的弊病自然千萬不可漠視，但問題的解決，絕對不在於漠視商業活動或刻意不與商人來往，而是如何妥為規範。何況商業組織與活動，早已成為現代社會經濟資源分配的最主要手段，商人在社會結構中所扮演的功能至關緊要，如何能夠加以歧視！一個現代政府不與商業組織和商人往來，不向商業與商人提供服務，簡直是不可能而且是不可想像的事。蔣經國在這方面的觀點，或他言行中所寓含的觀點，事實上是非現代的。

依名報人卜少夫在他出名的長文〈蔣經國浮雕〉的記述（按：此文寫於民國四十六年－西元一九五七年，正是劉自然事件爆發，臺北美國大使館被憤怒的群眾包圍，所謂「五二四黑色星期五事件」後不久），透過時代雜誌系統主持人亨利魯斯的居中牽線，蔣經國於一九五四年訪問美國。返國後，他曾給極接近的朋友提及參觀美國心心大監獄的故事。當輪到介紹兩位囚犯代表時，他依國人慣例表示關切，進而問道：兩位犯了什麼罪？刑期多久？經過傳譯後，兩位囚犯代表瞠目不答，典獄長面有不豫之色。隨後在禮堂的歡迎會上，典獄長致詞時說到：「剛才在門口，我們的貴賓問及兩位代表的犯罪刑期，在我們美國，除去法官，任何人不能如此發問的，否則，就是蔑視人權，侮辱我們。我們的貴賓，在他的國度裏，這是表示同情的關切，

因此我特別向諸位道歉,特別請諸位不要誤會!」讀畢這個生動有趣的報導(卜少夫文中特別聲明,這個故事他並非得自蔣經國親口所述),我們除了佩服國務院對來訪外賓極具巧思的安排,以及典獄長配合美國政策的精彩表現外,不能不承認,藉著轉述這個故事,對於本來並非十分熟悉的西方民主、自由與人權的概念,蔣經國展現了他勇於學習吸收的能力。具有這種吸收力的人,如其在世,對本文所提的異議,應當多少能曲予包容並心領神會才對。

經國先生在臺灣的功業與貢獻,尤其晚年對民主政治的發展所採取的突破性措施,當已成為青史必載的偉績。然而,人類政治與社會觀念的進步,常會不得已地要就歷史巨人的言行加以顛覆,對領袖人物稍顯無情,若能成為國族進步的張本,則孟子「予豈好辯哉,予不得已也」的千古浩歎,便有它切身而現實的意義。

——《美中新聞》,1995年3月3-9日

是非之心不可無

　　今年春天，馬關條約一百週年，民進黨立法委員呂秀蓮率團赴日本下關春帆樓，參加紀念活動並發言稱：

> 清國與日本簽訂馬關條約，將臺灣割讓給日本，固然是臺灣的不幸，卻使臺灣終能脫離中國，可謂是不幸中的大幸。

　　這段話臺灣新聞界多有報導，並引起不少的撻伐與批評。臺灣籍的政論家耿榮水引歐陽修「士大夫無恥，是謂國恥！」的話，指責呂秀蓮等人的言行，實在是「臺灣人的國恥」。

　　近來海內外的中國人屢見紀念第二次中日戰爭勝利五十週年的活動（世人咸稱「抗戰」，名歷史學家吳相湘則以甲午之戰為第一次中日戰爭，而將對日抗戰稱之為第二次中日戰爭，以彰顯其歷史意義，且於民國六十二年刊印《第二次中日戰爭史》兩巨冊，今從其說），對百年來日本加諸於中國的種種侵略、奪取與危害，多所回顧、批判與檢討，呂秀蓮此論一出，自易引起公憤。

　　然而，國人如果不健忘的話，政治人物發出類似言論者，非常令人遺憾，呂秀蓮絕非孤例，且層級遠比立法委員高的多，根本就是神州大陸億萬生靈的掌舵人，亦即「偉大領袖」毛澤東。

　　《毛澤東私人醫生回憶錄》的作者李志綏，根據他的親耳所聞，記述毛多次提過，若沒有日本的那一場戰爭，中共是無法取得政權的，日本何需為此道歉，並且向李醫師表示這就是「壞事變好事」的例證。海外總有人對毛主席和中國共產黨「愚忠」到底，無論如何非

維護其「良好形像」不可，因此對李醫師攻訐詆毀不遺餘力，認為他「不忠」而為了版稅利益「背叛祖國」。這當然是把個人崇拜置於民族利益之上的誅心之論。

然而，歷史的記錄幸未完全湮沒。在中國大陸革命的血花殷紅有如殘陽的時代，「懷著對偉大領袖毛主席無限熱愛、無限崇拜、無限信仰、無限忠誠的無產階級感情」，於一九六九年八月編印了「僅供內部學習，不要公開引用」的《毛澤東思想萬歲》一書，從第五二二至五四四頁，載有毛主席一九六四年七月十日「接見日本社會黨人士佐佐木更三、黑田壽男、細迫兼光等的談話」。毛澤東一開頭不久便主動提起：

> 我曾經跟日本朋友談過。他們說，很對不起，日本皇軍侵略了中國。我說：不！沒有你們皇軍侵略大半個中國，中國人民就不能團結起來對付你們，中國共產黨就奪取不了政權。……

隨後佐佐木說：

> 今天聽到毛主席非常寬宏大量的講話。過去日本軍國主義侵略中國，給你們帶來很大的損害，我們大家感到非常抱歉。

毛澤東立即回應稱：

> 沒有什麼抱歉。日本軍國主義給中國帶來很大的利益，使中國人民奪取了政權，沒有你們的皇軍，我們不可能奪取政權。這一點，我和你們有不同的意見，我們兩個人有矛盾（眾笑，全場活躍）。

不能不承認，這是非常生動鮮活的記述。而且顯然這一類的話毛主席不止講過一次。毛主席念茲在茲的乃是日本皇軍的侵略有助於中共之奪取政權。至於幾百萬軍人的陣亡，幾千萬平民的死傷，多少家庭的流離徙置、顛波困頓，大概只是「嗡嗡叫，幾聲淒厲，幾聲抽泣」的踫壁蒼蠅。（引自毛澤東「滿江紅」一詞，一九六三年一月九日和郭沫若同志）

臺灣的部分統派人士，在痛罵呂秀蓮的言論以後，請多多回味毛澤東的話語，不要變成只拍蚊子不敢看（說打可能有要求太高之虞）老虎的「英雄」。中共政權的喉舌「人民日報」，在七七前夕發表社論，稱頌中國共產黨才是抗日戰爭的「中流砥柱」。果真如此，則抗戰勝利以後跨台的應該是中國共產黨，而不是國民政府。毛主席三番兩次感謝日本皇軍有助中共奪取政權，其實是夫子自道，有誰比他更有資格講這個合乎史實的話？

中共政權總是喜歡竊奪抗戰的勛績，老愛改動對日抗戰的史實，彷彿如此一來其國祚會更正統而綿長。其實，一個政府或政權在對外戰爭中取得勝利，而於本國政治權力的角逐上卻告失敗，甚至淒慘流亡下台者，所在都有。後繼政權竟需千方百計竊取前任政權的戰績，徒然見其心虛而已。如果中共真是對日作戰的「中流砥柱」，那麼那些大戰役是它打的呢？共產黨軍隊死了多少將軍呢？日本軍隊是向中國共產黨投降的嗎？這一類的問題多問下去，答案自然水落石出，若再比對交戰國的記錄，更是無所掩藏和逃遁。況且承認抗戰是國民黨打的，何嘗危及中共？

可怕的是：中共這種技倆一再運用，其混淆與歪曲，不僅遍佈中國大陸本土，若竟延伸到海外，會使國人本已不甚健全尊重事實、以及由此樹立的基本的是非觀念喪失殆盡。十二億人欠缺基本的是非準

則，且別說對世界有所貢獻，更該關切的是對自家的傷害將會何其深
廣。

——《美中新聞》，1995年8月4-10日

新加坡不足師法

多年來,臺灣言論界的一大迷思,即是過度推崇新加坡與南韓的「發展」與「進步」。而這些讚揚,有些缺乏事實根據,不無受表象所惑之嫌,未能洞察實情;更且有違「取法乎上,僅得乎中;取法乎中,僅得乎下」的古訓。學習也應找一個比較值得學習的對象。

新、韓兩國的政治發展,平心而論,並不如臺灣。自由之家評比世界各國政治自由指數,二十年來,新、韓均遠落在中華民國之後。南韓朴正熙總統被刺、震驚全球的光州事件等,其殘暴與不民主,遠超過曾經發生過中壢事件與美麗島大審的臺灣。就經濟發展而論,國人每每羨慕南韓官方與民間大刀闊斧且有魄力的作風,而南韓的經濟表現也有目共睹,不僅名列東南亞四小龍,且常有趕過臺灣之勢,但政府對經貿事務介入太深太廣,十幾家大企業集團的營業額即佔全國總生產半數以上,勞方與資方關係嚴重惡化,何嘗值得羨慕?至於產業策略之良窳,南韓比較偏重汽車工業,臺灣較為重視資訊業的個人電腦,優劣之間,短期內不易論斷。

新加坡華人約佔四分之三,可以說是另一個華人國家。臺灣言論界之重視新加坡且不吝給予佳評,有時似乎乃是國人自身心理需求的投射。天下雜誌曾經動用不少人力物力,專案報導新加坡;不久前,聯合報又由高級主管率員深入訪問報導新加坡,所佔篇幅之大,殊屬罕見;至於其他傳播媒體之鍾愛新加坡,例証實多。筆者不敏,始終不甚以為然,甚至認為,在全球各地華人社會的政治發展史上,新加坡喪失了一個絕佳的機會——做為華人能夠實施民主政治的示範之良機。

　　英國的殖民統治固然有它帝國主義的一面，但也往往為殖民地留下頗具體制的政治結構；文官的培訓與操作亦相當健全；而基本的政治價值觀念在英國人的陶冶下，也具備了民主政治的雛型。在大英帝國的勢力離開以後，後繼者若能堅守自由民主的精神，多能使國家逐步發展成比較成熟的民主政體。新加坡經過英國相當時日的管理，各項政制本具規模，脫離馬來亞獨立以後，三十年來掌握實際政治權力的李光耀，更是受過嚴謹的英式法學訓練的政治人物，然而在他的長期領導下，新加坡並未在民主政治這方面交出亮麗的成績單，反而東方（以華人為主）式威權統治的色彩愈益濃厚，令人遺憾。

　　李光耀以其犀利的英語，律師的辯才，加上多年累積的國際聲望，使他個人在國際上的影響力超過新加坡實際的國力，近年來尤其常以東方政治文化的衛道者自居，敢於挑戰西方自由民主的理念，不久前還在紐約時報發表專文，批評美國以本身的標準強加於人的霸道，李光耀儼然是勇於向西方說「不」的領袖人物。國人一百五十年來飽受西洋列強的欺凌，對同屬華人的李光耀，難免寄予心理上的認可，兼且從他的言行中取得慰藉。

　　這樣一種複雜而微妙的心理，可以理解但卻不值得倡導。因為李光耀所代表的理念與政策，在政治學理上，並非可大可久之道。

　　臺灣的「國家政策研究中心」聯合「美國全國民主基金會」於八月底在臺北召開「全球第三波民主化的發展與鞏固」國際研討會，邀請到世界知名的政治學者杭廷頓蒞會演講，主題就是探討臺灣與新加坡的政治發展模式。杭廷頓長期任教哈佛大學，六〇年代末期他對政治改革與政治革命所做的學理區分，不僅極富啟發且影響國際政治的研究至鉅。冷戰結束後，他在外交季刊發表的〈文明衝突論〉，引起全球各地學者的辯論，餘波至今猶存。杭氏的觀察與分析，有他獨到之處，不宜等閒視之。

　　杭廷頓舉出幾個月前紐約時報的一篇分析，說明新加坡的政治「乾淨但嚴苛」，相比之下，臺灣則是「紊亂但自由」。杭氏表示，新加坡的威權式民主政治與臺灣的自由民主政治，均係華人社會的成功典範，將來中國大陸的政治發展可能會取其一而師法之。杭氏毫不含糊地指出，他對臺灣模式給予較高的評價。依他分析，比起其他施行威權政治而步向毀滅的國家而言，新加坡創造了繁榮的經濟和井然的社會秩序，但類似體制難以因應可能產生的潛在危機。況且威權政治必得認定統治者全都是好的領導者，但一旦統治者去世，腐化的情況隨時可能發生。李光耀式的威權政治，缺乏公開辯論、新聞自由、反對黨及競爭選舉等自我改革的力量，前途未可樂觀。

　　至於世所稱羨的經濟奇蹟，經濟學界也有不同的分析。史坦福大學的克魯格曼教授所做研究顯示，亞洲國家可觀的經濟成長，與冷戰初期蘇聯的經濟成長類似，乃是傾全國資源於經濟發展，由於缺少生產效能的增長，最後卻難以為繼。資料顯示，新加坡的繁榮主要係成功地動員了大量的資本投入——主要來自半強制性的國民儲蓄，而其生產力的改進卻遠遠落後。生產力的改進來自創造發明，威權政體有損於學術與資訊言論自由，降低了人力資源的創造力。最近西方學界有些一說，確否難証，暫予存錄。

　　華人在思考長期性的政治發展時，似宜對臺灣多加觀察、理解與重視。

——《美中新聞》，1995年9月1日

「國慶」感言二章

其一：請以贖罪的心情紀念十月一日

十月一日是可以紀念但卻不值得慶祝的日子。

中華人民共和國建政四十六年了，雖說自一九七八年以後，實質上逐步放棄共產主義的教條與制度，改採改革開放的政策，苦難的中國人終於可以喘口氣，「利己為國」，情況確有好轉。但算起總帳來，中共政權是對不起中國人的。

美國政治學者白魯恂曾經深刻地指出，「世界上再無其他民族像中國人那麼樂意稱頌國家的優點，同時又那麼勇於自貶身價。」這個旁觀者清的洞察，反映了一個事實：中共所治理的乃是最溫順最甘願為國犧牲的子民。但是其成績如何呢？

口口聲聲「為人民服務」的中共政權，其服務成果之一即是中國有史以來殘殺人民數量的總冠軍。一九七一年，美國參議院提出「中國施行共產的人命成本」報告，估計人命損失約三千四百萬至六千四百萬之間。專門研究世界各國人口殘殺的美國學者隆梅爾，一九九一年出版《中國最血腥的一個世紀》，一九九四年刊行「政府殺人」，據他的調查與推算，自一九四九到一九八七年，至少有三千五百廿萬以上被殺。隆梅爾感慨系之地表示，中共建政後的三十年，殺戮甚多，但即令是保守地估算，幾乎每二十個人中有一個人被殺。這是何等令人憤慨的統計！

平心而論，中共建政四十六年來，並沒有真正的敵國外患，有的只是當權者為了政治鬥爭而虛擬出來的幻相，國土上沒有一名敵軍佔領，國際地位已由國民政府八年浴血抗戰終獲勝利而取得。幾十年的

太平日子，即令是封建專制時代，也早已造就成「XX之治」了，而中國人反而犧牲如此之大，固然這一方面是共產政權的極權專制本質所使然，但在另一方面卻也說明了中共未能好好把握住歷史的機會。

站在世紀末的今天，面對中共政權的種種，為了國人的基本幸福，為了廣義的中華民族的發展，吳元黎先生最近提出的呼籲最為中肯，他說：

> 中國共產黨對於一九四九年以來在大陸執政違反憲法所犯的錯誤，必須向中國人民有一個交待；而對於將來想要在中國繼續執政，如何遵守憲法必須向中國人民作出承諾。

北京及其駐外機構，請以贖罪的心情來紀念十月一日。

其二：在歷史面前謙虛以慶祝雙十

就長程與深層的歷史分析而觀，十月十日的確是締造時代改變中國歷史方向的日子，雙十節是比較值得慶祝的。

不論是在國內或國外，舉凡慶祝雙十的集會，致詞的達官顯要照例要宣揚：辛亥革命「締造了亞洲第一個民主共和國」。其實，歷史上有很多「第一」是並不怎麼令人興奮的。國民革命推倒滿清政權以後，國政更清明了嗎？更自由與民主了嗎？甚至於一般老百姓的人權包括生命權比清朝更有保障了嗎？對類似這樣的一連串問題，答案恐怕是不很樂觀的。

「假如」在歷史的發展中，當然是無從印證，而且可能眾說紛紜，莫衷一是。但它也有一個意義，亦即在「假如」的推想下，可以使人在面對歷史發展時，保持應有的謙虛。假如沒有辛亥革命，以後的中國及其子民的命運，會比這八十四年來所實際走過的道路更壞嗎？換

個方式講，雙十節所象徵的革命，對中國人只有好處而無壞處嗎？它不該為數十年後神州大陸的赤化負點責任嗎？假如清末的立憲派改革成功，中國的民主憲政會不會比現在更有成就？百年來，國人的「革命心態」對華夏文明的效應，是否負面多於正面？

曾經多次參加雙十節的慶典活動，主要的演講者——尤其是近十年來——最愛炫耀中華民國的經濟成長，人民的生活水平，然後總是添上「在臺灣的中國人，目前過的是中國有史以來最富裕而自由的生活」做結語。最近幾年來，又不忘提及政治改革的成就，「寧靜革命」一說由自己出口，然後回銷臺灣當做是外國學者和輿論界的評價。最近總統選舉，「是中國歷史上第一次由人民直接選舉」，事實上也的確如此，但每每聽到類似的話語時，不免背誦起史學家錢穆在《國史大綱》開卷所列信念第三條：

> 所謂對其本國已往歷史有一種溫情與敬意者，至少不會對其本國以往歷史抱一種偏激的虛無主義，亦至少不會感到現在我們是站在已往歷史最高之頂點，而將我們當身種種罪惡與弱點，一切諉卸於古人。

尤其是在事後走出會場，仰望夜空中遼遠的星星點點，「至少不會感到現在我們是站在已往歷史最高之頂點」，這句話總是在耳際心海徘徊不去。

即使是慶祝國慶，含帶些許的謙虛——在歷央的進程與義理面前的謙虛，仍然是必要的。

——《美中新聞》，1995年10月6日

打破博士崇拜

　　東方社會，基本上是一個特重文憑的社會。有文憑，尤其是高級文憑，不僅是地位甚至是權力的象徵，有許多人更把它當做是成功的保證。在某些情形下，學歷竟可以取代實際的能力，一、二十年實際經驗的累積，不論是在實驗室不懈的努力，或是在工廠商場流盡汗水而得來的親身體會，有時竟然不敵中等資才的學生花三、五年功夫所取得的外國博士學位，尤其是官僚體系和層級組織在考慮人事升遷時，使人不免感慨洋裝書中自有黃金屋和顏如玉。

　　日本東京的高中學生，每年都有人因為升學的壓力而自殺。臺灣的高中生，如果大專聯考榜上無名，父母家人往往在言語上哀歎其人生前途大概已沒有太大的指望，真能當個「拒絕聯考的小子」的人，畢竟少之又少。一場盛暑炎夏舉行兩天的聯合入學考試，如果對人的一生普遍具有決定性的意義，那麼生活在這一種社會體制下，人的前途竟由類似的窄門來篩選，則這樣的社會還不足以稱為貨真價實的多元社會。

　　其實，臺灣在第二次世界大戰以後的發展，其中重要的意義之一，就是多少打破了傳統文憑社會的架構，尤其是第一代的企業家，更有不少人欠缺傲人的學歷，王永慶只有小學學歷，但在他的領導之下，臺灣塑膠關係企業卻長年佔有製造業的龍頭地位，他個人也被財經新聞媒體尊稱為臺灣的「經營之神」。近年來，政壇上逐漸浮現黑金背景的民意代表，他們的學歷普遍偏低，從某一角度言，這些人就是「白手起家」的政客，也是政治社會益趨多元化的表徵：當然，如果是「黑道的提升」之成分大，還算是可喜的現象；反之，如果根本

就是「政治的墮落」，則是國家社會傾頹的病兆，社稷危矣。

　　然而，自由民主的體制既已不可逆轉，則整體社會必然更加走向多元化，這對文憑社會一定會起著顛覆的作用。好幾年前，臺灣的文藝作品中，曾經把歸國留學生描寫成「社會公害」，對一般人的價值認知產生不小的衝擊。最近兩年，高級學歷的人，在就業市場愈益困難找到適當的工作，且有「低就」職位的趨勢。最近復有取得外國博士而長期工作無著，只得請領貧戶救濟的實例。這些情況，當然會對文憑社會的結構有所影響，但卻尚不足以動搖其根本。

　　最具體的實況，可舉中華民國部長或準部長級以上高級官員為例。現任總統是美國博士，副總統是德國博士。行政院長及下屆副總統當選人為美國博士，副院長碩士，行政院祕書長美國博士。內政部長美國博士，外交部長美國博士，交通部長美國博士，財政部長碩士且曾任大學教授，教育部長英國博士，經濟部長日本博士，經濟建設委員會主委美國碩士日本博士、大陸工作委員會主任委員美國博士，文化建設委員會主委碩士，農業發展委員會主委美國博士，新聞局長英國博士，衛生署長美國碩士，環保署長碩士，僑務委員會委員長美國碩士。以上所列內閣級的官員，只有國防部長（但上任則為美國博士）勞工委員會、蒙藏委員會、部分政務委員及總統府祕書長未列在內，臺灣省主席為美國博士，臺北高雄兩市市長則皆為臺灣大學畢業生。平心而論，我國政務官平均學歷之高，足可傲視全球，官方與民間也不無沾沾自喜之意。

　　但是，若從另外一個角度來看，卻也呈現了一些問題。國家大政的主要領導人，絕大多數具備外國學位，正好反襯本國教育制度似乎未能妥善培養高級人才。同時環顧當今世界主要國家的首長，除了德國柯爾總理具有本國博士學位外，絕少國家的領袖具備外國學位，當然更不必以此為標榜。其次，最值得重視的是同質性過高的問題。再

以現在的內閣為例，具博士學位成為常態，非博士變成例外，博士的同質性本已不低，更加上超過半數以上屬於美國學位，我國主要的政經領導人的同質性委實有過高之嫌。此地所以不怕干犯眾怒特別指出同質性太高的問題，是因為這種情況於不知不覺中可能產生不當的影響，有如西方商業社會高層主管們有意無意間形成的「老友記俱樂部」，應該慎防其流弊，且與民主政治下多元社會的理念不合，是否恰當地代表了實際的民意，更是值得關切。

臺灣的聯合報系民意調查中心，於四月廿、廿一日進行電話民意調查，結果發現總統府祕書長吳伯雄係閣揆人選中最孚眾望者，達三成一，其次為中央研究院院長李遠哲約二成，現任院長僅一成五。然而，從新聞界的炒作消息，以及李登輝總統的思考方式（當然也是從報導中推知），類此的「民之所欲」，是否真能於主政者的人事部局中「長在我心」，卻令人不無懷疑。坦白講，如果吳伯雄擁有美國的博士學位，則絕對成為他在仕途上更進一層的助力。至於李遠哲一再被列入行政院長的人選，假定他沒有博士學位，也沒有諾貝爾的光環，情況必然改觀。學術研究與經世濟民之間的區隔與不同，為學與為國之間的巨大差異，執掌國家大政的人若刻意漠視，顯然文憑社會的價值觀正無形有形間發揮著不良的影響。把人才的標準設限於同質性高的一群人身上，格局只有越來越小，並且難以反映整體的民意。

為國舉才，請自打破博士崇拜開始。

——《美中新聞》，1996年5月3日

哥哥爸爸真偉大
——蔣緯國的孤寂與卓見

　　國民政府播遷臺灣的初期，本省籍音樂家呂泉生先生，作了一首兒童歌曲「哥哥爸爸真偉大」。由於詞曲簡單易學，而且與當時的時代氣氛兩相配合，因此立刻風行寶島，不僅兒童與少年琅琅上口，甚至一直傳揚到第二、三代人，成了兒歌創作的異數。

　　這首歌的歌詞如下：「哥哥爸爸真偉大，名譽照我家，為國去打扙，當兵笑哈哈。走吧，走吧，哥哥爸爸，家事不用你牽掛，只要我長大，只要我長大。」在臺灣度過少年期的人，記憶中諒都多少會包含有這首歌的旋律。然而隨著歲月及閱歷的增長，近來卻常常聯想到蔣緯國先生。

　　過去，有人曾經謔而不虐地戲言，全中國最適合唱這首童歌的人就是蔣緯國——他的父親蔣中正，從北伐勝利到對日抗戰到撤退臺灣，掌握神州大陸的政局廿餘年，對世界局勢影響深遠；他的哥哥蔣經國，贛南新政與上海打虎，啼聲小試，到臺灣以後的政績，尤其晚年主導政治民主化的功業，自當輝耀史冊。哥哥與爸爸，都是真偉大。然而這樣的家庭背景，顯然也是蔣緯國命定的限制，根本無從超越，在政治實權上，他要達到羽毛已豐的地步，其可能性幾等於零。即使在幾年前國民黨政爭的時候，蔣緯國與林洋港搭配以對抗李登輝，蔣由總統候選人變為副總統候選人，可說非常形象地點明了這侷限，中華民國大概是容不得第三個「蔣總統」的。一個人終其一生，政治實權上的「只要我長大」，永遠只能當做期盼，而緯國先生的中外兵學造詣，卻又是同代人中的翹楚，對西方學術與思想的理解，也

有相當的水準，他心境的孤寂，乃是事所必然的。

最近，臺灣出版了汪士淳先生所著《千山獨行——蔣緯國的人生之旅》一書，初讀之下，益增前述的觀感。此書對緯國先生的迷離身世，敘述甚詳，並有所澄清。他是黨國先進戴傳賢（季陶）與日本女士婚外情所生，交由蔣中正養育，實際則由蔣中正「侍妾」姚治誠照料，這些實情已由本書予以確認。蔣緯國之善待姚女士，且執親子之禮治姚之喪；目前又汲汲於創辦「傳賢大學」，說明他對自己的身世早有所知，而且在禮法人情之間，頗能兼顧。這些略帶內幕性的內容，一般讀者應該會感到興趣。至於他與蔣中正間的父子關係，自然也是大家好奇之所在。大體上講，蔣中正完全視緯國如己出，由於他生性活潑好動，更能承歡膝下，蔣中正「緯兒可愛」的評語，點出了他們父子間的關係。但這種親密關係，在政治權力的繼承上，明顯地並未發生作用。這方面，蔣經國是佔上風的。

個人最重視的正是該書第十三章〈兄與弟〉。基於人情禮法，蔣緯國自然不便大肆批評兄長蔣經國。但從他委婉的語氣中，仍然很容易察知其意思。該章提到，如果論到哥哥的「缺點」，蔣緯國只有一句話：「哥哥的民主標準，尚待商榷。」筆者於一九九五年三月三日在美中新聞發表〈顛覆蔣經國的言行〉一文，指出經國先生不正確甚至是反民主的言行。素有「財經才子」之稱的前政務委員王昭明，去年起在臺灣《遠見》雜誌發表系列檢討臺灣經濟發展的文章，談到「愈是權威大的領導者，愈易憑自我的理念決定政策，愈易與學術理論有差距」，從而造成迎合領導者意向的官場人物。並舉實例說明，政治人物為了表示對民生關懷的德意，以突顯其崇高的品格，遂以人為手段主觀決定油、電、民生必需品的價格，違反經濟原理，相當的放棄了市場法則。文中雖未指名，但經國先生應係要角。緯國生生短短的一句話，或可產生「定音」作用。

該章又記載：

蔣緯國敘述他們兄弟之間，在處世態度上就有根本的差異：「哥哥認為應該是『為工作而生活』；而我則是『為生活而工作』。」他指出，哥哥這個觀念，是在民國六十一年接任行政院長之後，首次對內閣講話時提出的；但他的看法是，奴隸牛馬才是為工作而生活，那是社會主義的觀念；身為「人」，則應是為生活而工作。

這段話，語氣強烈，因為涉及原則問題，尤其最後兩句，更是鏗鏘有力，可圈可點。衡諸蔣經國少青年時代的學經歷，他很難脫開社會主義的思想與概念。國共鬥爭失敗後退守臺灣的國民政府，早期有許多措施，似乎帶有「以更多的社會主義來對抗共產主義」的意味。指摘前人的缺點——特別是偶像人物，當然需要一些勇氣，但此地的重點無寧是在陳明，偉大的人物同樣有其時代性的限制，蔣經國晚年的功業更為人所重視，是因為他有所突破。

自從新竹湖口發生裝甲師兵亂之後，身為司令的蔣緯國，在軍階上的升遷即長期受到阻滯，未能掌握兵權；至於政治上的發展，更是處於邊際地位。蔣緯國晚近某些言論，令人有不無「出格」之感，或許正是他邊際地位更往下滑的投射。但他長期致力於戰略與兵學的鑽研，負責國軍高級軍官的培養訓練，對國軍的現代化，軍官現代觀念的灌溉，應該有他不可磨滅的貢獻。

千山獨行，感念相送者成千累萬，與「偉大」相比，何嘗遜色！

——《美中新聞》，1996年9月27日

政治人物的好色

　　日本明治維新時代的名相伊籐博文，寫過一些漢詩，其中有句云：「醉臥窈窕美人膝，醒執堂堂天下權」，傳誦至今。

　　政治人物，尤其是具有革命心態者，或親自從事革命活動的人，雖然表現在外的總是一幅為國為民的崇高面貌，公開言論莫不呈露改變或扭轉歷史方向的氣魄，然而在光明偉大的形象背後，個人不免懷疑，在不少這型人物的內心深處，其實是暗自欣賞伊籐博文筆下的這等「境界」，如進一步查考他們的實際行徑，竟會得到「若合符節」的印證。本來，權力與性，名聲和美色，兩者往往是共生的。

　　並且，政治人物好色的現象，誠然是古今中外不分。美國總統甘迺迪的婚外情史，早已不是傳聞。至於剛下任不久的柯林頓總統，更是喧騰國際媒體，大家記憶猶新。在這方面，某些執著的「中國本位論」者，甚至可以振振有詞地宣稱：中國更強。請容許本文舉中國近代的一些大人物為例。

　　有中華民國國父之稱的孫逸仙，一生的感情軌跡並不及於亂，但一般人較不知道的是他的革命紅粉知己陳粹芬女士，這位革命女傑乃是真正冒性命之危從事實際活動的伴侶。晚年與宋慶齡女士結婚一事，當時國民黨要員頗有些人並不贊同，孫告以自己也是人，一樣具有常人的欲望，實在是雍容大度又合乎人性的表白。遲至二十世紀七〇年代中，筆者還有師長在課堂上以宋慶齡倒追來替孫中山解套，如今看來，根本是蛇足式的過度解釋。教科書上老是記述國父一生奔走革命和隨時隨地追求學問，但卻絕少提到，他與日本友人對談時，曾經坦白承認，在革命與書本之後，他最喜歡的其實是女人。

　　蔣中正自從與宋美齡於上海成婚後，男女關係方面再無任何風聞。在此之前，大家所知道的是元配為蔣經國的生母，以及後來由蔣緯國奉養的「侍妾」姚冶誠女士。直到好幾年前，由於史料的出土及刊佈，才知道蔣宋之前還有一位陳潔如女士，依陳女士的回憶錄，他們的結合是舉行過正式儀式的，但在一方運用政治權勢的影響下，竟被隱瞞掩蓋多年。結合時，陳潔如只是中學生，而蔣已是閱歷豐富介乎後期青年與早期中年的人了。又蔣經國本身在這方面，顯然也是不怎麼「純潔」的。

　　毛澤東的男女關係，則遠較複雜。李志綏醫師的回憶錄早經出版，毛氏當權以後的好色情形，世人已有資料足資覆按。可能尚不為世人周知的，則是毛澤東的一項醜惡暴行。中華人民共和國成立後，一九四九年末毛氏率團訪問蘇聯，共產革命烈士遺族孫維世女士正在俄國留學，被徵召擔任俄文翻譯，不幸卻在旅館中被毛主席「姦污」了。周恩來對這位義女的遭遇，刻意隱瞞，後來安排她與名演員金山結婚。四人幫粉碎那年，孫維世因肝硬化去世，得年僅四十六歲，臨終前還神志清醒地向金山歎道：公審四人幫，為什麼漏掉那個老色鬼呢？（參見王若望〈周恩來義女孫維世不幸遭遇〉，臺北傳記文學一九九三年九月號。作者與金山相熟，金山生前將此事細說與王聽，但囑咐只能於適當時機方可公開，金於一九八二年腦中風突發溘然長逝）無論從道德或法律觀點，毛的惡行必須譴責。

　　最近閱讀之所及，再為政治人物好色添加了新的一章。長期推展獨立運動的臺灣作家林雙不，花了兩年時間，到海外進行深度訪談，為支持臺獨運動的小人物寫下他們的故事，這些人出錢出力，但是從未因此出名，也從未回臺灣參選以攫取權位。林雙不先生的努力，不久前面世，其中用短篇小說的形式撰成的作品，標題「安安靜靜臺灣人」。

　　這本書中最長的一篇，記述了來自苗栗的鄭啟賢錐心之痛的經歷。鄭君長年支助台獨運動，在偶然的機緣下，得識運動的領袖人物彭明敏，此後在經濟上援助他，在生活上照顧他。但一九七四年秋天卻發生了一件事，鄭君憶述這一讓他震撼不已的往事時，只淡淡的說：「彭明敏污辱了我妹妹，就是這樣，我只能講到這樣。」彭當時五十一歲，而鄭君最小的妹妹不過是十八歲的少女。經過二十多年的埋藏，鄭君面對林雙不說出他的故事時，還叮嚀不能在彭明敏選總統前公佈，以免干擾選情。直到現在，鄭君仍然支持臺灣獨立運動。

　　筆者在學時，偶亦耳聞彭明敏教授師生戀的傳說。到了國外，聽說他以優雅的氣質，吸引了不少婦女追隨者。爾後，早年與彭交好的李敖，公開舉出他所知道的事實，揭發彭的好色。即使有了這些先前的心理準備，得知林雙不的記述，還是感慨萬千。彭的行為，不像前兩段所舉毛澤東那樣惡劣，也許照美國法律也不算誘姦未成年人（似乎是十五歲以下才成立），即便是兩相情願，但對女方的家人來說，實在是不能接受的。

　　當然，並不是說每一個政治人物都必然很好色，好色者又何止是政治人物。不過，政治人物的好色現象，到底不免讓人想一探其中的究竟。特別是從事革命或流亡在外的領導人物，自身的前程處於高度不確定的期待階段，日常生活不時有性命之憂，恆常置身警戒狀態，為時短暫的男歡女愛，也許是生理與心理俱得釋放的方便法門。更何況事業的成敗，奠基於「喚起民眾」，而本身的吸引力，則又是群眾運動的主要火苗，群眾心理飄浮不定難以捉摸，對個別異性的吸引，或許因此轉換為具體而微的群眾，藉此來不斷自我充電，被吸引的異性，很可能也就淪為手段而已。

　　美國前總統卡特曾經提到過：新聞界有個很自然的傾向，老是想去證明這個人不像他所宣稱的這般乾淨而道德。也許本文就夾帶此一

傾向。大人物的偉岸身子，總會有龐然的陰影，其中未必都是餘蔭，醜惡卑劣久必自現。也許這種情形令人失望而不快，但卻能使大家對現實產生比較完整的認識和理解。

——《美中新聞》，2001年11月9日

讓退休總統名正言順地退休

　　日本女作家上坂冬子寫的《虎口總統——李登輝與他的妻子》，以及臺灣媒體人士鄒景雯的新書《李登輝執政告白實錄》，最近在臺灣又掀起一番爭議，且輿論界的討論類多涉及政治權力的組合與互動。以一位年近八十，且已正式退職的前任總統，於原屬政黨也無正式職銜，竟然還能如此這般呼風喚雨，就他個人而言，或可算是魅力猶存；但就整個國家社會而言，則是不健康的現象。

　　要勉強舉個類似的情況，在中國政壇上倒亦實有其例。已故中共政權的元老鄧小平，平生三落三起，在政府官位方面最高只做到副總理，而且七十幾歲後，多次宣告退休，並諄諄勸告同輩元老應該和他一樣，及時退休，但鄧小平則長期守住中央軍委主席的實力位置。雖然在名義上，他不是政府最高首長，但誰都知道，四人幫倒臺以後，中國大陸的政柄事實上掌握於鄧小平手中。一九七八年之後的改革開放政策，他是所謂「總設計師」；一九八九年六四天安門事件，拍板定案的是他；改革開放政策面臨阻力時，一九九二年鄧小平的南巡，又給這一總路線加以定調及強化。以退休之身，影響與權勢如此之大，罕見其例。但這是中共極權體制所使然，中國共產黨以黨領政領軍的具體實現，一般國家是不可能出現的，大概也不是其他體制能夠師法學習的。

　　臺灣的民主政治雖然資歷尚淺，但其為民主體制則已不容懷疑，政治人物飽嚐權力的滋味以後，若於退休後妄想重演鄧小平的經歷，不僅取法乎下，而且會造成民主精神的倒退。個別的退休首長宜有這一自覺，更重要的則是大家不應讓類似妄想在實際上發生，這是目前

在位者與全國民眾的責任，也是中華民國民主政治的一大考驗。

前述兩本書所透露的消息，把它看成是政壇秘辛，或當成李登輝個人的回憶——其中也包括他對個別政壇高官的評論及觀感，尚無不可；傳播媒體和目前在位的政治人物，若利用它大事渲染，甚至做為爭取權位版圖的工具，似可不必。當然，事實上很難免除這種現象，此地提出的警示，旨在防止其惡化，畢竟惡化下去，終非社會之福。

何況媒體熱烈報導的一些細節，不應只從皮相來加油加醋。舉例講，李總統夫人曾文惠提到：「從連戰和人握手時來看，總感覺不到熱情。我先生在和人握手時，經常會讓對方女性的戒指傷到自己的手，那樣強力的緊握，連戰的握手只是用到指尖⋯⋯」姑且就這段話略加引申：如果說身高體大的李登輝和女性握手時，緊握到讓對方戒指傷到手，那麼合理的推論當是被緊握的嬌小女士受傷的可能性更高！緊握一定就是熱情的唯一表達方式嗎？筆者個人與人握手時，便很討厭對方使力過度過久，令人頗感不快，有此同感的人，倒很可能認為輕輕一握比較優雅。

說穿了，總統夫人就像一般女性一樣，對身居高位的先生有某種崇拜，總覺得自己先生的一言一行才是正軌，繼任的後起之秀，怎麼端詳都不如自己的先生。這種情形，其實時常出現。只要看看二、三級機構首長交接後，原任首長的夫人和下屬，會有幾個人衷心欣賞後任首長的行事風格，並四處公開予以讚美呢？人性的常態與弱點，於此表露無遺，即使曾貴為總統夫人，亦難脫人情常態。因此，聽聞此類說法應有比例感，無需從皮相便大事推衍成「陰謀」。

李前總統的確在《告白實錄》中批評了連戰、宋楚瑜、王作榮、歷史學者戴國煇等人。尤其對連、宋兩人的評語，最易引生政治性的聯想，加上對陳水扁總統的「善意」觀感，合併起來不免滋生許多「權力改組」的推理，本文無意在這方面變成「共犯」。此地稍談王、戴

二人。他們兩位是李登輝多年的舊識，不過王、戴都是具有獨立思考的知識份子，本來具有批判精神，李總統離職後，批評更是見諸報章，依個人管見，他們的見解頗有可稱道之處。不過，就出現先後言，事實上是先有他們對李氏的批評，然後李登輝在《告白實錄》中予以回應，也就是說李「應戰」的意味多些。前監察院長王作榮得知李對他的評論後，可能涉及個人名節，曾向外界表示有意採取法律行動控告其誹謗。其實，彼此均已回歸為平民，自身可以批評別人，不許別人批評自己，未免說不過去。彼此見解的歧異，就留待後世去品鑑吧！

臺灣新聞界向來對李登輝甚感興趣，而且擴張到海外來，有時令人產生一種印象，即海內外的「批李」彷彿是輿論界的一種「時髦」景象。以此，對李氏的觀察，竟至於顯微鏡、放大鏡、凹凸鏡全都用上了，真實那有這麼複雜。臺灣新聞界有人指出，「在歷史上，可能從來沒有一個外國的卸任總統，可以用一介平民身分左右日本的首相選情……，可是，這些都在李登輝身上發生。」坦白講，這實在是把他看得太大了。

個人認同李前總統對民主、自由、人權等普遍價值的堅持，基於這樣一個基本的理念，贊同他身為平民具有選擇醫療方式與醫生的權利。同理，也希望國人認識到，李登輝應該享有退休的權利，讓退休總統名正言順地退休，或許正是臺灣民主政治水準高低的指標之一。

——《美中新聞》，2001年5月18日

哈佛錢真多

肥了主管瘦了公司

一九七〇年代末期，美國汽車工業不景氣，工人紛紛被解雇，許多人移往南部陽光帶，蔚為一陣時潮。但不出幾年，景氣回復，工人雖也受益，但加薪幅度最大的卻是高級主管。有些大公司的負責人，如克萊斯勒車廠的阿亞柯卡，各項收入合計超過年所得兩千萬美元。

美國企業界，視公司主持人有如英雄或明星，不惜重金禮聘。主持人就任之先，全與公司訂有契約，薪水、分紅外加酬庸（compensation），其中最為人詬病的是酬庸制度。董事會泰半設有酬庸委員會，但成員類多屬於同一階層，聲望、閱歷、心態極其相近，無形中宛如組了一個高級而封閉的俱樂部（old boy club），委員會云云虛應故事者多，公司主持人的所得常常不受業績優劣所影響。

生意差，向低薪基層員工開刀；賺了錢，高級主管先吃大餅；這種美式的企業文化，可能是美國競爭力衰頹的主因。這次經濟蕭條，從去年下半年延伸至今，員工不被裁掉已屬萬幸，豈敢奢求加薪，但公司主持人的收入卻年年升高，員工看在眼裏，恨在心裏，不僅挫傷了員工的向心力，對生產力也有負面的效果。

哈佛大學教授Robert Reich比較研究了美、日、德三國大公司主持人與基層員工的薪資比例，發現日本為十七倍，德國約二十五倍，美國則高達八十五倍。這種現象不但過分，而且難以服眾。他建議大公司的主要股票持有人，即所謂institution investors，如保險公司、退休基金等，務必施加壓力，才能遏止這種不良趨勢。

美國人動輒指責別國不肯解除保護措施，在嚴於責人之前，何妨反躬自省，請先解除美國企業主管的自我利益保護吧。

經濟學家值幾文？

　　學生時代修讀經濟學，頗負清望的夏道平教授，不止一次的感歎道：三個國立大學經濟學教授的薪水合起來，不如臺北一位二、三流歌星的收入！

　　在社會科學的領域當中，經濟學比較先進而且合乎「科學」的標準，計量化的程度遠比其他社會學門為高，不論是教科書或一般性的學術論文中，數學公式與統計數表的應用，均相當廣泛。在廿世紀下半，對微積分與統計學造詣偏低的學者，在經濟學界可能更難出人頭地。

　　然而，即使是配上了這麼先進的「科學設備」，經濟學家仍然不時得忍受種種冷嘲熱諷：比如說三名經濟學家一起討論，會衍生出四種學派或意見；或說生意人經過某經濟學家的指點後發了大財，指點他的人卻餓死了。這當然與經濟學所研究的主題有關，經濟活動是人類求取生存的最主要手段，充滿變數，絕非運用實驗室控制的方式所能拘範。尤其在自由經濟的體制下，市場幾乎成為生命力爆發的最佳場景，要預測市場的行情與走向，其困難有時僅次於上帝之創造宇宙。正因為如此困難，經濟預測反而更富有挑戰性而吸引人。

　　如同政治上的預測一樣，有許多「智者」是刻意不為的，但卻無法全然避免，而預測變成不正確的情況，恒常存在而且不斷發生。政治家不能不提出預測（美其名為國家社會的未來遠景），以資號召，而預測不確時，又得妥為說明何以不確，並進一步爭取和贏得選民的接受，然後再度提出將來可能也會變成不正確的預測。政治家的技巧與藝術性，在此表露無遺。經濟學家的處境很類似，但境遇卻沒有這

麼好，因為經濟現象的核對與查證，比較客觀而且具體，這恰好是科學化和計量化帶來的後果。

早在一八五〇年，英國出名的歷史家卡來爾曾批評李嘉圖、馬爾薩斯等人，稱之為「講授沮喪科學的一批德高望重的教授們」，此後經濟學即被冠上「沮喪科學」的名稱，據說這一稱號與經濟學的內涵非常相符。一百餘年後，美國自由派經濟學的祭酒高博瑞斯，還在其名著《富裕社會》書中第三章重申此意。英美社會往往視經濟學家係傳遞不吉利消息的信差，其來有自。

最近幾天，美國國會眾議院歲計委員會所轄小組，竟然投票同意刪除白宮經濟顧問委員會的經費，對經濟學家在政府決策方面原已呈現的無力感，不啻是雪上加霜。共和黨主導的國會，之所以採取這一行動，當然有點意氣用事，主要是針對克林頓總統前任首席經濟顧問蘿拉泰森，表面上冠冕堂皇的理由，則是要精簡白宮的人事，俾使有助於平衡聯邦政府的預算。

白宮經濟顧問委員會，係一九四六年杜魯門總統任內成立的。任務是為白宮提出高品質的經濟建議和獨立的經濟分析，並不是什麼龐大的官僚機構。設有首席顧問一人，資深顧問二人，幕僚人員廿名左右，每年預算約為三百五十萬美元，在總數高達一點六兆美元的聯邦預算中，誠如芝加哥論壇報社論所言，真乃九牛一毛而已。

其實，經濟顧問大都來自著名大學的經濟學教授，在本行中原已享有盛名，且往往任職兩三年又回到學術界，不像任職於銀行、大公司的經濟學家，久居其位，但也因此更能保持超然的立場，得以免於特殊利益集團的干擾，針對全國性的經濟事務，提出獨立且觀照全局的分析和建議，置國家利益於黨派利益之上。首席顧問和資深顧問，當然是由現任總統所提名，難免偏向合乎總統見解的人選，但這個職位的政治糾葛少得多，因此出任斯職以後，與總統意見相左者亦所在

多有，「御用」的現象從而大減。一般的風評大致認為，白宮經濟顧問委員會成立將近五十年來，頗著功績，至少擋掉了許多不當的經濟提議。

自管理的立場來講，某一部分預算應否刪除，當然不能以金額小而取得豁免，否則將無從刪起。古語所云：「莫以善小而不為，莫以惡小而為之」，應用到國家預算的控制（暫不考慮其原本的道德指涉），還不失為一個可行的基準。擅長企業經營的人大都同意，公司的效率與競爭力，往往就是從小地方累積而成。臺灣的臺塑關係企業，對原料的成本、生產過程的效率、庫存的控制等，固然儘量追求合理的管理，但對文具紙張的使用，也同樣不肯放鬆。政治乃是範圍及於舉國上下的管理，其實一樣不能忽略此一原則：預算的刪減不以金額多寡為定奪，而是視其價值與效用以為決定。

共和黨自今年元月重掌參眾兩院之後，對美國國政的方向起了甚具革命性的轉變，其中貫穿上下的主流思想就是保守主義。而保守主義與基督教原旨教派的結合，雖然擴大了其群眾基礎，但儼然已有過度追求宗教清純的教派常顯露的「反智」傾向，總認為知識乃是橫亙在人與上帝交通道途上的障礙，人間的知識越多反而離神越遠（與中共文化大革命時「知識越多越反動」同一理路）。順著這種心態推展下去，政治與宗教間應有的分際將變成模糊不清，徵諸往史，危險殊甚。美國眾議院提議刪除白宮經濟顧問委員會的經費，令人再次感歎：經濟學家值幾文？

——《美中新聞》，1995年7月21-27日

經濟發展與環境保護

　　聯合國人口預測小組於本（一九九八）年二月份表示，地球人口的高峰將於西元二二〇〇年達致，屆時全球人口約達一百一十億（大略是目前的兩倍），這一數目，比該小組在一九九二年提出的預測統計減少百分之六，換算成實際數字，即較上次預測減少六億人。芝加哥論壇報二月十七日深入報導這項消息時，曾經語含諷刺地調侃道，聯合國比任何魔術師還了不起，轉手之間就使六億人消失了。

　　事實上，人口問題是現代社會不能不關心的議題，遠從馬爾薩斯的「人口論」便已開始。許多人和筆者一樣，從少年時代就記得馬氏著名的推理公式：人口的成長是幾何級數，主要食物的增加則為算數級數，後者永遠趕不上前者。早年在臺灣，有一段時間官方強調老鼠為害甚烈，傳染疾病，吃掉農作物，於是發動撲滅老鼠運動，小學生繳交鼠尾可以獲得獎勵，當時個人記憶很清楚，政府宣傳鼠輩繁衍的速度非常快，比人類快得多，而且生育間距很短，少年偶發奇想，便曾經認為：如果人類以老鼠為主食，馬爾薩斯「人口論」的難題不就解決了嗎？

　　當然，人口問題不是這麼簡單的一件事，而且後來與新興的環境保護觀念息息相關。一九六八年，史坦福大學教授保羅·歐立克出版《人口炸彈》一書，強調人類若不控制人口成長，會使地球無法負荷，終於走向消滅之路。一九七五年，羅馬俱樂部刊佈「成長的極限」報告，對人類之耗用地球資源，提出嚴厲警告。（當然，更早一些，生物學家卡靜女士的名著《寂靜的春天》——臺北中央日報曾全文譯載並出單行本，檢討農藥、化學藥劑如DDT等，對生態環境包括昆蟲等

造成不可挽回的破壞，更可說是現代環保意識的啟蒙著作）在這些言論的激盪之下，環境保護的觀念逐漸普及於一般民眾，而且越是年輕者越具有這方面的自覺。

大體上講，環保論者屬於悲觀派。正如人類思想史所呈現的基本輪廓一樣，有悲觀派，自然也會相對產生樂觀派。剛於二月八日去世的馬里蘭大學企業管理教授朱利安‧塞門，就是樂觀論的代表人物之一。塞門教授的專業研究領域恰好就是人口經濟學，著有《終極資源》、《人口與貧窮國家的發展》，一九九五年出的《人類情況》一書（書名仿自美國總統的《國情報告》），更是他集大成的著作。不過，他之普遍受到新聞界的重視，似乎主要是兩件學術界的趣事造成的。一是他和前述歐立克打賭，以一九八〇至九〇年為期，他預測五種金屬（銅、鎳、鉻、錫、鎢）的價格將因供給增加而降低，歐立克則基於資源越來越缺乏的假設，認為價格一定上揚，到了一九九〇年，塞門贏得賭金一千美元。二是一九九二年十月十四日，他與世界知名的環保科學家牛津大學諾門‧麥爾斯博士，於紐約哥倫比亞大學展開正式而嚴謹的辯論，轟動各界，兩年後，這次精彩的辯論印成《匱乏或富裕？》一書。

塞門指出，人類物質生活的最大進步，與人口的巨幅增長同時發生，而且這種進步還會繼續下去。為什麼人口增加，耗用的物質越來越多，到頭來反而資源愈顯豐富呢？他的解釋是：人有能力尋找、生產和創造出比他們使用者更多的資源。他反對貧窮國家因為人口過多以致妨害經濟進步的說法，日本、荷蘭等人口擁擠的國家，無礙於其快速成長，倒是蘇聯、蘇丹等地廣人稀的地方，經濟阻滯不前。減少人口的增長，不是達到富裕的方式，相反的，達成富裕才是降低人口成長的最佳方式，因為隨著財富的增加，生育率從而下降。過去友朋輩閒談，曾經論及中國大陸人口壓力太大，最好的解決方式，乃是盡

速普及電視機,同時把精彩的節目從晚上八時起播出,生育率自然減低,遠勝官方雷厲風行而屢被外國批評的種種措施,雖屬戲言,但似乎合乎塞門教授的觀點。事實上,工業先進國家如美國、法國、義大利等許多國家,每對夫婦的平均子女數均低於二人,已少於夫婦自然再生率(即兩名子女),長期看,這些國家的人口呈負成長現象。

論及環保,一般均以為經濟發展危害地球的整體生態,這似已成為環保論者的共識。但塞門卻指出,事實上進步國家的環境乃是越來越乾淨,而不是越來越髒。筆者在此附帶說明,不久前《大西洋月刊》有篇相當詳實的長文,證明美國東部目前的森林覆蓋率,比三百年前殖民時代還廣大,應該就是一個很好的例子。塞門教授認為,唯有社會富裕了,大家才有能力去關心空氣清不清潔,某些品種的動物有無滅種之虞,沼澤地、雨林有無消失之危等。其實,在他的觀點背後,最重要的乃是他認為:人類解決問題的心智能力,不但可以持續不斷地開發,而且其潛能是無限的。

芝加哥論壇報專欄作家史提夫·蔡伯曼在悼念塞門的文章中,稱頌他對人類的未來始終具有無可動搖的樂觀,而且他所言一向正確。筆者倒是認為環保論者的悲觀論點,其作用在警示世人,他們稍帶聳動性的預言常常被證明為未必正確,可能正是大家受他們影響而採取行動的結果。就此而言,經濟發展與環境保護照理是可以和平共存的。

——《美中新聞》,1998年2月20日

哈佛錢真多

　　論名氣，哈佛大學在美國的高等教育機構中首屈一指。雖則近幾年來美國新聞與世界報導週刊，每年均對美國的大學加以評估，並將結果列出排行榜，就總分言，西岸的史坦福、東岸的耶魯、普林斯頓等，也曾經超過哈佛拔得頭籌，其中相當重要的因素之一，可能是哈佛沒有工學院。但不容否認的，哈佛樹大招風，其他頂尖大學莫不努力想把它拉下馬來，這個心理欲求更屬無從忽略。然而，在一個最現實的基準上，哈佛領先群倫的地位，短期內應該無人足以撼動之，那就是哈佛錢真多。

　　根據二〇〇一年第三十一版彼得生氏大學導覽的記錄，美國主要大學捐獻基金的數額，筆者隨機選列如次：

　　哈佛──一百四十五億美元，耶魯──六十六億，普林斯頓──六十五億，史坦福──六十二億，麻州理工──四十三億，艾默利──四十二億，華盛頓（聖路易市）──三十九億，德州農工──三十七億，哥倫比亞──三十四億，賓州──三十三億，萊斯──二十九億，西北──二十四億，康乃爾──二十四億，密西根──二十三億，芝加哥──十九億，杜克──十八億，達特茅斯──十七億，德州（奧斯汀）──十四億，加州（柏克來）──十四億，范得比爾特──十四億，維琴尼亞──十三億，加州（洛杉磯）──十三億，加州（聖地牙哥）──十二億，加州理工──十二億，普渡──十二億，俄亥俄──十一億。以上所列係以十億美元以上者為限，遺漏在所難免。可惜的是，前面依最新一版大學導覽列出的金額，似已過時，不過仍不妨做為一項參考。

今（二○○一）年六月二十四日的紐約時報星期雜誌，針對哈佛新舊任校長的交接，刊出 Johanna　Berkman 撰寫的長文，檢討哈佛錢太多的問題。此文事出有因，一則本年春季，哈佛學生聲援校工工資過低，示威學生佔據行政大樓，引起各界重視。二則自一九九一年起擔任校長的魯登斯丁行將離職，這位原普林斯頓大學教務長的學者，籌募基金的成效卻令人刮目相看；繼任校長為柯林頓總統後期的財政部長桑默士，新校長二十八歲就成為哈佛長俸正教授，以經濟和財政專長主持校務，哈佛錢多的局面或許讓新校長別有一番作為。

依紐約時報雜誌這篇專題的敘述，哈佛目前的捐獻基金已高達一百九十一億美元（耶魯一百億，史坦福八十七億，普林斯頓八十四億，哥侖比亞四十三億，康乃爾三十四億，達特茅斯二十五億，均比彼得生氏大學導覽所載為多）。比起第二名的耶魯，相差幾近一倍。就各學院的基金分佈情形看，文理學院佔八十億，醫學院二十一億，商學院十三億，法學院九億三千萬，教育學院二億九千萬，設計學院二億五千萬（其他學院未列出）。光是文理學院本身，其捐獻基金便已超出絕大多數主要大學。

不要忘了，哈佛擁有為數不少的珍貴藝術品和文物收藏，這些都不列入基金，何況文物藝術也難以精確估價。單就一百九十一億元基金，就比麥當勞公司的實體資產還多，在富士比雜誌所列四百家大公司中，只有五間公司的淨值超過哈佛，哈佛基金總額等於南美洲國家厄瓜多爾全國總生產。照波士頓環球報的說法，在全世界所有非營利機構的捐獻基金中，哈佛僅次於羅馬天主教會。芝加哥所屬庫克郡為全美第三大郡，今年預算為二十七億，哈佛基金為其七倍有餘。

哈佛大學一年的維持經費約為二十億元，捐獻基金所生孳息足可支付百分之二十七，換成具體金額就是依目前基金總數可以生出五億四千萬孳息。哈佛正教授平均年薪為十三萬五千兩百元，光靠基金孳

息便可養四千名左右的正教授，而該校現時教授總數也不過兩千人左右而已。哈佛最近的維持費用竟然有大約一億兩千萬的盈餘，其他大學的主持者，豈有不羨慕之理？

如此多金，當然是長年累積的成果。哈佛成立於一六三六年，三百多年來總共接受了大約九千六百項獻金。在甫下任校長魯登斯丁主持下，推行了一項為期六年的募款計劃，原定目標為二十一億元，結果竟然超出目標總共募得二十六億元，其中金額百萬美元以上的捐獻高達百分之六十八，五千萬或更多者有兩筆，五百萬以上者九十筆。錢多了自然產生投資管理的問題，董理其事的哈佛管理公司員工就有一百八十五人，規模不小。去年該公司五名高階主管分得的紅利，居然超出五千萬美元，比起跨國公司的負責人，其收入一點也不遜色。

魯登斯丁慨然歎曰：「每個人都以為一百九十一億是一鍋錢，其實是幾千鍋錢各有自己的限制。」相信絕大多數校長都寧可有這樣的歎息。錢多固然不無麻煩，但錢多的好處實在不用細表。哈佛人經常自豪於冷門科系、冷門課程很多，要不是錢多，辦得到嗎？不過話說回來，錢多招忌，自古已然，何況是非以營利為宗旨的大學！嘴巴極利的哈佛法學院教授德舍維芝便大事諷刺說：「哈佛的目標是在死掉時留下最多的錢！這不該是目標。」但哈佛是死不了的，學界甚至流傳這麼一則笑話：即使美國被原子彈摧毀，哈佛還會安全地辦下去。

哈佛誠然與眾不同，但今天它最明顯的不同正是在於：哈佛錢真多。

——《美中新聞》，2001年7月27日

誄辭一束

不肯跟著跑
——鄧小平誄辭

　　二月十九日中午，芝加哥各電視台報導鄧小平去世，先是指出此一消息已由香港電視台證實，不久又宣稱北京官方已確認之。鄧小平終於等不及親見香港的回歸中國，與世長辭，享年九十有二。

　　鄧氏的女兒鄧榕（毛毛），在撰寫《我的父親鄧小平》一書時，問起他對「長征」的親身經驗，鄧小平沒有什麼加油加醋的話，只說了三個字：「跟著跑！」這未免令女兒不無失望之感，「長征」早已被中共政權神聖化，被許多同情共產革命的文人和記者予以浪漫化，這三個字如何能滿足鄧榕的筆意？迫不得已，她只好找別人口述，還搬出《毛澤東選集》抄它一段！名史學家唐德剛在評述這件事時（見〈長征有始有終，喪權沒完沒了〉，傳記文學月刊一九九三年十一月第廿四頁），認為那些多出來的東西是「狗皮膏藥、廢話、黨八股」，唐教授認為：從文學觀點、從史學觀點來說，還是您貴老爸的三字經「跟著跑」，最傳神，最真切，也是最有價值的「第一手史料」，應該打一百分。

　　唐德剛的筆調雖然帶點嬉皮笑臉的味道，但卻也鮮活地傳達了他的卓見。而鄧小平晚年的心境與個性，也從這一則故事中透露一二。隨著時間的遷遞，比年以來，中共政權的元老人物凋零殆盡，這本是自然的現象，這些人臨終前的「最後見解」，個人甚感興趣。去（一九九六）年五月九日去世的陸定一，長期主管中共的意識型態，擔任過宣傳部長、文化部長，他對前來探望他的中共高層官員表示，「以我六十多年的革命生涯經驗，我認為大陸應該實行多黨制。」（世界日

報一九九六年九月六日第A十頁）看穿了過去那些英雄色彩的行徑，浪漫的革命情懷，鄧小平晚年平實的心態，正是中共改採改革開放政策的本源。

鄧氏之死，可以想見，中共官方必然會儘量使用讚美歌頌的辭藻往他身上堆，但對海外的華人而言，感受遠較複雜。鄧小平的功績顯現在十餘年來大陸可觀的經濟成就，惜乎政治自由方面則進展極其有限，六四天安門事件的殘暴不仁，尤其是他記錄上的絕大污點。使中國大陸「正常化」，應該是鄧氏一生最大的貢獻，這絕非官方所宣傳的是出於「總設計師」鄧小平的計劃，而是回到中國歷朝「與民生息」的傳統，換句話說，鄧勇敢地擺脫共產主義思想與體制的拘束，再也「不肯跟著跑」！

美國甘納迪總統的國家安全顧問麥克喬治・彭迪，是那個時代青年才子的典型，被認為是「最好最有智慧的」人物，後來卻未能更上一層樓，彭迪去年過世，時代週刊執行編輯華特・艾沙克生在追悼文中（時代週刊一九九六年九月卅日第卅四頁），說了一段非常富有歷史智慧的話：「如果他少掉一半的聰明才智，也許他可以成為一位偉人。」

比起毛澤東，鄧小平不是「天縱聖明」的人物，對共產主義的理論發展，談不上什麼貢獻。蒼天有眼，鄧小平在他的晚年，竟讓苦難深重的近代中國人有了喘息的機會。但願鄧氏之死，使中國人喘息的時間更久更長。

——《美中新聞》，1997年2月21日

激怒大家・機會均等

　　美國最好的專欄作家麥克・羅逸科（Mike Royko，1932-1997），
於四月廿九日因病去世，消息傳出，引起全美各地新聞文化界一片哀
悼之聲。

　　羅逸科的份量，可以從媒體處理他去世的新聞見出。四月廿九日
下午，電視與廣播電台首先播出他的死訊；次日，全國各地主要報紙
均以頗大的篇幅報導他的簡要生平與成就，隨後幾天，不少專欄文章
讚揚他；最主要的新聞性刊物，時代雜誌概略述及他的風格，新聞週
刊則以整頁悼念他，美國新聞與世界報導用三分之二頁追思之；當
然，羅逸科工作大本營的芝加哥，對他的辭世，感受最深，他曾經任
職過的芝加哥太陽時報如此，他生前的東家芝加哥論壇報自不待言，
四月卅日以頭條處理羅逸科去世的消息，以兩整頁追記他，用當天頭
條社論向他告別，五月四日（星期天）復將「展望」版全部用於重刊
羅逸科的舊作。一位專欄作家之死，竟能得此殊榮，不得不令人肅然
起敬。

　　對許多芝加哥地區的居民而言，早期是本市的藍領階級，後期則
以郊區搭火車進城上班的人為主，每天早上讀羅逸科的專欄，彷彿是
生活必需品，打開報紙，瞄一下封面，隨即翻到第三頁，看他的專欄
寫些什麼，似已變成一種儀式。其實，由於他的專欄被六百多家報紙
所採用（著名保守派專欄作家喬治・威爾則有五百多家，僅次於羅逸
科），全國讀者不計其數，影響之大，應可想見。某些載有他專欄的
小報負責人，聞知羅逸科的謝世，除了敬表悼念外，內心不無惶惑，
忙著追問：有誰能夠代替他？

　　當然，麥克‧羅逸科是絕難取代的。三十四年來，他每個星期寫出五篇專欄——請注意是五篇，大多數專欄作家一週一篇，每週三篇已備感壓力，除了特殊事故如他第一任夫人英年凋謝，曾經中斷短時間外，年復一年，月復一月，一週又一週，累積的篇數超過八千篇，每篇平均字數約為七百字（新聞週刊稱每篇一千字，即使把標點符號列入，仍屬高估。筆者確曾抽樣計算過，不含標點符號約為七百字，略等於中文兩千字左右），雖說他成名以後長久僱用助手（叫新聞跑腿 legman）協助，但經年累月，永不間斷，這種源源不絕的新聞感和文思，已經叫人有不可思議的驚訝，至於其所呈露的毅力，當更難以望其項背。

　　羅逸科只有高中學歷，入新聞界是他投身美國空軍時開始的，為了爭取營區軍報記者的職位，曾經謊報他具備在報社工作的經驗，兩個星期後，被一位在合眾國際社任職過的同事拆穿。離開軍旅後，在芝加哥不甚知名的小報當地方新聞記者，後來才進入午報Chicago Daily News，自一九六三年起，於該報第三頁闢有專欄，從此展開了報紙專欄作家的生涯。由於新聞業大環境的改變，午、晚報的存活空間愈來愈窄，一九七八年該報被芝加哥太陽時報買入而停刊，羅逸科隨著轉移陣地到太陽時報。一九八三年，澳洲報業大亨莫達克，自馬歇爾‧菲爾德兄弟手中買走太陽時報，羅逸科基於新聞理念與莫達克不合，於電視訪問中公開表示：莫達克辦的報紙，拿來包鮮魚都嫌不夠格！遂於一九八四年初投入他原來不甚喜歡的芝加哥論壇報。一仍舊貫，依然在第三頁左面寫他的專欄。

　　在他生前，羅逸科早就獲得無數的讚美。底特律新聞稱他是全美國最好的無所不談報紙專欄作家。華盛頓郵報（曾經有意重金禮聘羅逸科到華府工作，他因考慮家庭因素作罷）則說他是「國寶」。Albuguerque Journal更是揄揚備至，該報提到：「報紙專欄作家依優劣

順序可分五等：一、差勁；二、尚可；三、甚佳；四、傑出；五、麥克‧羅逸科。羅逸科是最佳上選，無人能及。可惜上帝只造了一位羅逸科，真是糟糕。」美國新聞界的重要獎勵，他幾乎都得過，包括一九七二年普立茲評論獎，一九八一年孟肯獎（孟肯係大文豪，也是專欄作家，與李普曼齊名），一九九〇年全國記者俱樂部年度第四權獎，頒給他的理由是羅逸科體現了新聞最高原則。

雖然文名如此為各界週知，出版業更經常打他的主意，但羅逸科似乎對出書不怎麼著迷，從一九六七年起，他的專欄集結成書只有五本。倒是他專研芝加哥地方政治的專著《芝加哥大老板：理查‧戴利》，自一九七一年問世以來，暢銷不斷，長年被學術文化界視為探討「黨機器」政治運作與政治文化的經典著作。羅逸科有他獨特的文風，他絕少（幾乎可以說沒有）寫長句子，使用精確的字詞，放在簡短有力的句子中，直截了當卻又機趣蓬生。目前大名頂頂的影評人羅哲‧伊伯特，年輕時在報社追隨且私淑他，追憶羅逸科時還特別指出：「他是散文大師。他用簡單的字和直接的句子，創造出最美妙而動人的效果。」加上他自許的「讀罷含笑走開」，餘味更屬無窮。

各界追懷麥克‧羅逸科的平生與志業，普遍有兩點共識：一是認為他是美國當今最好的報紙專欄作家；二是他的特色在於「激怒大家，機會均等。」（equal opportunity offender/irritator/tormentor），他的觀點、見解與激怒的對象，向來難以預測。對許多讀者而言，他的辭世，使世界顯得更單調一些。

——《美中新聞》，1997年5月16日

多元思想的播種者

　　說來有點不幸，二十世紀英國傑出的思想家與學者，尤其是在人文與社會科學領域，一直未能受到中國學術界給予應有的重視。臺灣方面較無此病，像湯恩比、柯靈烏、李約瑟、海耶克、玻柏爾等人的著作，總是有人加以譯述或闡揚，大陸則受限於自身的意識型態，往往刻意敵視之，令人遺憾。

　　十一月上旬在英國牛津去世的艾塞亞‧柏林 Isaiah Berlin，跟海耶克、玻柏爾一樣都是出身歐洲大陸的思想家。海耶克發表〈到奴役之路〉時，正任教於英國，其後才到芝加哥大學；玻柏爾刊布〈開放社會及其敵人〉時，也已移居英國，最近一再被指責為亞洲金融危機之禍首——國際金融投資（機）家喬治‧索羅斯，自大學時代起就信服玻柏爾的理念，並以自身的財力於許多國家成立「開放社會學社」；柏林則是誕生於俄國彼得格勒的猶太人，隨著家庭遷居英國，當過英國駐蘇聯外交官，後來投身學術界；不同的是，柏林甚少皇皇巨構，反而以他的論文和精采的知識性談話著稱於世。

　　童年時代，柏林在彼得格勒目擊俄國共產革命的爆發，槍炮聲的迴蕩，警察面色蒼白，全身因驚恐而扭動掙扎不已，被暴民拖向死亡，成為某一「觀念」和「理想」的犧牲品，這一幕景像，乃是他永生不忘的回憶。論者有謂，柏林一生最主要的貢獻，就是在阻止幼年目睹慘狀之再度發生，他致力於加深世人對「多元思想」的理解，用以對抗那無所不包而妄求控制一切的政治理念。他能及身見證到蘇聯共產體制的瓦解，一定不無欣慰。

　　雖然柏林的著作不多，但做為國際級的學者思想家，留下的知識

遺產還是相當有分量的，他對「浪漫主義」的研究及解析，對「理性主義」的體認與剖解，都很精深而獨到，他對自己的「猶太根柢」始終具有清明的自覺，但又絕不流於狂熱，這些都極為可貴。但對中國人而言，個人覺得更較切身的還是柏林有關「民族主義」、「多元思想（價值）」的闡釋。

當然，「多元思想」或「多元論」自係柏林的終極關懷。他有一篇著名的論文〈豪豬與狐狸〉，把人類歷史上的思想家粗分成兩類，豪豬代表的是一種偉大而用以解釋一切的觀念，狐狸代表的則是許許多多多的小觀念。這類區分當然是想像性的，也是從事學術分析時不得不做的簡化，正如同玻柏爾在名著《歷史主義的貧困》書中，把人類改造社會的努力區分成「社會工程學的」與「零星片斷的」一樣，柏林認為，單一議題、固定觀念、簡要單一的意識型態，這些東西是非常危險的，最後一定淪為狂傲自大而違反並戕害人性。

柏林對「集體主義」的攻擊，不僅本乎歷史經驗，而且還建立在邏輯基礎上。引他自己的話來說，「依我看來，認為原則上可以找到某個單一公式，人們懷抱的所有五花八門的目標，藉此而可以和諧地予以實現，這種信念，可以證明其為錯誤。」進一步講，以為人類可以完整且充分地實現其理想，這個理念本身在形式上即是自相矛盾的。「如果人們的目標為數甚多，且在原則上不是所有的目標彼此皆得以相容，那麼不論是就個人或就社會而言，彼此衝突的可能性以及悲劇，就無法自人的生命中予以完全消除。」據此，多元論的世界觀不祇是實際上的必然，也是理論上必然。

一九六九年，柏林出版《自由四論》當時正是美國學生反對越戰的思潮方興未艾之際，他違逆時潮，針對流行的左派觀點大事批評。他表示，一元論者－即只相信某一真理的信徒，如馬克斯或第三世界的毛澤東、胡志明、卡斯楚，這些人所宣揚的東西並不是自由，他們

的言論或許崇高偉大，但自由則是極其不同的東西，自由乃是不被打擾或干擾，在這個自主的、不可侵犯的政治空間中，任何權威皆不得予以冒犯。柏林所揭示的乃是「消極自由」，而不是「可以去做什麼」、「可以免於什麼」的所謂「積極自由」，自由不是服從，人間沒有什麼東西會比不被干擾的權利更形重要。

對中國人來說，柏林有關民族主義的觀點，特別具有現實的意義。幾無例外，民族主義導源於矯正錯誤，「通常是因（民族）受到傷害所引起的」，柏林曾經形容民族主義乃是「把被壓彎的背脊予以挺直」，但他引以為憂的則是當代民族主義的病態發展，對自己的民族產生自我膜拜，深信自己的民族遠比別人優秀，最後一定足可支配他人，柏林稱之為「民族自戀狂」modern national narcissism。他倡導的是「自由民族主義」，並且認為要求個人順從集體的民族主義應予以反對，「完全融入他人的這種和諧，與自我身分的確立無法相符。」柏林講的這些話，拿來與近年中國大陸發生的一些現象兩相映照，如果國人還不能獲得某種啟示，那可真是中華民族的悲哀了。

在八十五歲生日的時候，柏林曾經謙虛的表示，世人「高估」了他，但又風趣地添了一句：「但我也不會假裝因此而憂心忡忡。」大思想家的幽默，足以垂範後世。

──《美中新聞》，1997年11月28日

一位大器晚成的歷史學家
——追念黃仁宇先生

　　長住美國的華裔歷史學家中，其著作個人最常接觸的是余英時、黃仁宇、唐德剛等人。他們都曾經歷非常嚴格的學院訓練，中西學養俱佳，著作宏富，同時又極為關心中國的現實，發為文章，常常含帶高度的時代意義。余先生很年輕便當上中央研究院院士，學術地位崇高，不論是專業著述或是時評世論，均受士林推重。唐先生長期以臺灣《傳記文學》月刊為基地，喜怒笑罵，下筆成文。最近謝世的黃仁宇，他就讀密西根大學的博士論文，便是在余英時指導下完成的，而事實上學生卻比老師年長十二歲，兩人之間的關係，介乎師友，黃且與余之父親同事過，在他成名以後，黃公開說道：「余英時給我的助益頗多，我第一次教書時的講稿，便是從他的著作引申節錄而來。」黃仁宇於二〇〇〇年初去世，享年八十二歲。

　　最近十幾年，黃仁宇的作品享譽華文讀者群中，很有歷史「顯學」的架勢。他所表達的觀點，諸如「大歷史」與「小歷史」之分、歷史發展的長期合理性、歷史的縱深（縱深可以說是軍事術語，黃仁宇當過國民政府中下級軍官的經驗隱約可見）、解析中國傳統政治經濟不能從數目字上管理的缺點、對資本主義的技術性定義、有關中國近代史的三段論式，凡此皆曾盛行於華文讀者群，而且確實使人有耳目一新之感，加深國人關於中國史的理解。

　　《萬曆十五年》可算是黃仁宇的成名作，英文版於一九八一年由耶魯大學出版，並譯成多種文字刊佈。臺灣的中文版，係由已故陶希聖先生主持的食貨出版社印行，自一九八五年以來，再版不下三十

次，歷史書有此成績，堪稱難能可貴。未知何故，臺灣版竟未列入富路特 Dr. L. Carrington Goodrich 老教授言簡意深的序文，不無遺憾。這部書用明朝萬曆年間七個人──包括皇帝、宰相、官僚、軍事將領、思想家的生平史事，把萬曆十五年這個不足輕重的年份（英文書名叫 *1587‧A Year of No Significance*），與華夏文明的歷史洪流連貫起來，彰顯出它的特性。書中佈局令人大開眼界，寫作的筆調更是與習見的史書不同，一開頭記述皇帝臨時舉行午朝大典，而三月二日那天冰雪未消，文武百官豈敢怠慢，急忙奔赴皇城。「乘轎的高級官員，還有機會在轎中整理冠帶；徒步的低級官員，從六部衙門到皇城，路程已將近一哩，抵達時喘息未定，也就顧不得再在外表上細加整飾了。」簡直像是電影鏡頭一般，把讀者拉進歷史的現場。後來他寫的《放寬歷史的視界》、《赫遜河畔談中國歷史》等書，黃仁宇個人獨特的風格和用詞，得有更多的機會去揮灑。

基本上，黃仁宇以研究財政稅務史起手，又曾於一九七二至一九七三年，到英國劍橋大學襄助李約瑟Joseph Needham蒐集編撰《中國科學技術史》這一大部頭著作，他之重技術實務，而無意光去高談抽象的東西，淵源有自。由於有過細碎繁瑣的研究基礎，他才能把中國過去政治狀況的混亂，以及邁入近代世界以後的無法充分現代化，歸結成一項簡潔易曉的通則，也就是他著名的「不能從數目字上來管理」。這一觀點固然簡單，但過去的歷史學家卻罕見提及，不啻給後人多了一項解析中國歷史的利器，貢獻非小。

資本主義深刻影響近代人類社會的演展，黃仁宇追溯其原委並抽取精華，撰有體大思精的一部力作《資本主義與廿一世紀》（余英時作序）。堅持如故，他還是以具體實相為本，誠如他所自述，「過於接近哲學，不足為歷史家的憑藉。」（第四七〇頁）他對資本主義的特徵，認為首先必需承認它有超越國界的技術性格，所謂技術性格可歸納為

三點：一、資金廣泛的流通wide extension of credit，剩餘之資本透過私人貸款方式，彼此往來。二、經理人才不顧人身關係的僱用impersonal management，因而企業擴大超過所有者本人耳目能監視之程度。三、技術上支持因素通盤使用 pooling of service facilities，如交通通信、律師事務及保險業等，因此各企業活動範圍又超過本身力之能及。這三點全靠信用，而信用必賴法治維持。（詳見該書第一章，特別是卅二－卅四頁）若要吹毛求疵的話，這種技術性解釋，雖然可以免除抽象不具體的荒疏，但對與資本主義相關的價值體系如自由、民主等，黃仁宇似乎無意在意識型態方面有所闡發。

充滿苦難的中國現代史，黃氏本其親身經驗，提出如次的觀察：蔣介石及國民黨因對日抗戰而替新中國造成一種高層機構，毛澤東和中國共產黨因土地改革而造成一種新的低層機構，現今中共政權的主要任務，則在藉著經濟改革重訂上下之間法制性之聯繫，促成中國全面進入以數目字管理之方式。這個三段論法，個人總覺得實有不足之處，彷彿少了什麼鏈條，無法充分說明現狀，其中關鍵就在於所謂高層機構缺乏延續性，中共建政以後，不僅未予縱的繼承，反而大事加以摧毀，使人不得不懷疑：這種高層機構還存在嗎？又令人不能不質問：為什麼繼起的政權無能或不願保存這個辛苦得來的高層機構，以之為日後發展之本？恐怕還需要進一步的釋說。固然歷史有它的長期合理性，但在進程中所耗損的社會成本包括千萬計的人命犧牲，至少是值得關懷的。

黃仁宇的歷史寫作，滲入了他個人的想像力，這當然是很可貴的，他的作品之所以能流行一時，與此有關。但有時一通百通而不慎做出擴大的解釋，則流弊自然出現，他就中國文化提出的詮釋，便遭到臺灣青年學者如龔鵬程的批評。然而，不容否認，黃仁宇從技術實務的角度切入，站在普通人的立場觀察、研究、比對、撰寫歷史，實

已開一新局，把他自身的生命體驗溶入作品，終而造就了一位大器晚
成的歷史學家。

——《美中新聞》，2000年2月4日

新聞女傑更可親的一面
——悼念凱莎琳‧葛蘭姆女士曲折動人的一生

　　曾經長期主持華盛頓郵報，以及其媒體王國包括新聞週刊和電視台的葛蘭姆女士，於愛達荷州與媒體界巨擘相聚，在步道行走時不慎跌倒，傷及頭部，引起內出血，急救無效，不幸於七月十七日去逝，享年八十四歲。

　　以葛蘭姆女士的地位，消息傳出，各類傳播媒介無不詳加報導，美國主要報章大都於次日發表社論致悼。七月二十三日華府國家大教堂舉行的告別喪禮，參加者高達三千餘人，政商名流雲集。新聞週刊七月三十日這一期追悼特集，除了以葛蘭姆女士為封面外，週刊本身的紀念專文不計，登出來的各界悼文便有季辛吉、名史學家史勒辛吉（甘納迪總統主要智囊）、布來德利（使郵報光芒盡出的前總編輯也是葛蘭姆的愛將）、艾理奧脫（新聞週刊前主編）、佛里契夫人（華府喬治城區社交名流兼密友）、菲律賓前總統柯拉蓉夫人、葛倫華德（時代雜誌前主編）、南茜‧雷根、芭芭拉‧華特絲、法國前總統季斯卡、約旦故王胡笙夫人、華府名律師喬丹、名時裝設計師奧斯卡‧任塔、微軟公司董事長比爾‧蓋茨、新聞週刊前主編史密斯、名編輯與作家哥特利普等。至於稍有份量的報紙專欄作家，莫不紛紛撰文追念。

　　一九七一年五角大廈機密文件的刊出，次年水門案件郵報鍥而不捨的追蹤調查，自係葛蘭姆女士一生功業最被後人津津樂道的兩件大事。前者贏得最高法院的有利判決，成為維護新聞自由的範例。後者

兩年後導致尼克森總統史無前例的辭職，變成輿論界抗衡權勢、監督政府、維護官箴的典型。而葛蘭姆堅守原則，果斷負責的精神，正是這兩件歷史大事的幕後動力。華盛頓郵報因之聲譽鵲起，地位逐漸與紐約時報並駕齊驅，葛蘭姆女士普遍受到國際間的尊重。臺灣的中華民國政府解除戒嚴，就是一九八六年葛蘭姆女士來訪，蔣經國總統透過她而表達出來的。

時常被封為華府和全球最有權勢的女人，對這類老生常談式的封號，葛蘭姆一向淡然處之。但她在喬治城華宅舉行的社交聚會，的確是應邀者身分地位被認可的標記。可是在另一方面，大多數新聞界人士卻又常用「缺乏安全感」來形容她，她自己甚至不時向膩友透露，每次參加酒會都渾身不自在，因為不知道要說些什麼。在令人欣羨的成就與巨大的權勢光環背後，顯然另有一個可能更真實的Kay Graham，或許從這一角度來觀察，會更富興味。

一九九七年，葛蘭姆出版一部回憶錄《個人歷史》，這部作品不僅成為暢銷書，且於隔年替她贏得普立茲傳記獎。她出身豪門，父親曾任聯邦儲備銀行董事，也是世界銀行的頭一任行長。母親自視極高，但子女卻全交由奶媽、管家僕從等來養育。據其自述，某次她為了與母親見面，竟然還得事先預約。葛蘭姆先讀瓦莎女子學院，後來轉到芝加哥大學，畢業典禮父母兩皆缺席。甚至在她結婚成家以後，有一天母親和她丈夫正在談話，她想加入，母親居然冷冷地回她一句：我們正在進行知識性的交談！言下之意就是：妳懂什麼，站到一邊去！彷彿瓦莎、芝大的書全都白唸了。所謂的「不安全感」云云，或許跟這麼古怪的「家教」有關。

接受電視名記者芭芭拉・華特絲訪問時，葛蘭姆把自己一生分成兩部份，前半是「家門口迎賓腳墊型的妻子」，後半則是「工作女性」。而其分水嶺乃係一九六三年，她丈夫患精神病飲槍自盡。菲立

普・葛蘭姆雖說家境不如太太娘家，但他出身哈佛法學院，擔任哈佛法學評論主編，做過大法官佛蘭克富特的部屬，才智能力絕佳，與凱莎琳結婚時，很自豪地表示絕不向岳家取一分錢，並要求妻子陪伴他回佛羅里達家鄉自力發展。但不久之後，卻應岳父之邀任職華盛頓郵報，三十一歲便當上發行人，且與甘納迪總統、詹森副總統交情匪淺。

郵報本是華府五家日報中的最末一名。一九三三年，凱莎琳的父親以拍賣方式買下破產的該報，菲立普主持報政後力圖振作，業務漸有起色，一九六一年購入新聞週刊和電視台。但在四年前，菲立普的精神病首度發作，後來狀況益趨不穩定，躁鬱易怒，常有非理性傾向，且與新聞週刊女職員發生婚外情，甚至陰謀設計想把妻子的郵報股份全數買進轉贈情人，事為凱莎琳察覺才被阻止。丈夫的自殺，當然是家庭的悲劇，但卻是葛蘭姆女士人生與事業的轉捩點。直到晚年，凱莎琳對丈夫的才情智能，始終讚譽備至。

以純家庭主婦突然接掌報政，簡直是手足無措，初期向員工講話甚至兩腳發抖。不過，芝大畢業後，葛蘭姆曾遠走舊金山擔任記者，後來被父親叫回郵報處理讀者投書，她對新聞事業也不是完全陌生，加上友人和長輩如紐約時報發行人沙茲柏格、名政論家李普曼等的襄助，經營漸上軌道。早期人事更動頻仍的現象，也日益改善。一九七五年印報工會罷工事件，則是頗不愉快的經驗，傷害亦大。當時，她還親自到營業部門接電話，事後有廣告客戶表示：接聽廣告電話的女士顯然「大材小用」（over trained）。在報紙辦得火旺的時候，葛蘭姆向親信說道：編報實在是絕大樂事，但未免不太公平，別人沒有這種機會。她之鍾情於新聞事業，由此可見。

舞蹈大師瑪莎・葛蘭姆（與凱莎琳無親戚關係），某次有人煩請她移步到舞台中央，她立刻回嘴說出一句名言：「我人在那裡，那裡

就是舞台中央。」紐約時報名專欄作家威廉‧沙懷爾，特別引用這則軼事，以彰顯凱莎琳的風格正好相反。沙懷爾年輕時當尼克森總統演說撰稿人，尚屬名不見經傳的新秀，郵報與尼克森政府關係正處於惡劣階段，葛蘭姆女士卻亟想羅致他，由於編輯部門反對遂作罷，後來編輯部門自是悔恨無已，沙懷爾在悼文中感嘆：老闆總是比伙計更有遠見。依他的分析，「凱莎琳之所以籠罩全局，乃是來自她下定決心不去頤指氣使。」

雷根夫人南茜與葛蘭姆有三十多年的交情，雷根入主白宮後，兩人定期以「秘密」午餐相會，隨後郵報社論版主編梅格‧葛林菲爾德加入，凱莎琳與梅格兩人還常常偷溜出去看電影。依紐約時報專欄作家毛琳‧陶德的追記，有一天梅格打電話來，「妳想不想看法國總統？」凱莎琳問：「在那兒上演？」梅格冷冷地回道：「我指的是龐畢度總統。」原來名聞全球的新聞女傑，到老都還保有女孩兒家的赤子之心。

──《美中新聞》，2001年8月3日

女界先驅

——淺談墨西哥藝術家弗里達·凱洛

在十九世紀末、二十世紀的世界美術史上，墨西哥的藝術家佔有相當重要的地位。就像解放神學展現異彩於拉丁美洲，關懷貧苦民眾，充滿社會意識的墨西哥藝術家，則為群眾藝術注入了新而豐富的內容和精神。著名的壁畫大師狄亞哥·里維拉，就是其中的一個關鍵人物，而他第三任太太，比他年輕二十歲的弗里達·凱洛，雖然只活了四十七個年頭，卻是個性突出、風格特異的先驅人物。

凱洛一生多災多難，身體遭受的創痛與傷痕，伴隨她的整個人生。一九○七年生於墨西哥市近郊，當時正是革命動盪的時代。六歲染上天花，躺臥病床九個月之久。更不幸的，則是十八歲時，凱洛搭校車返家時，受到另一部街車猛力撞擊，使得她的脊椎斷裂三處，鎖骨碎裂，右腿折斷十一處，足踝嚴重壓傷，強烈的衝撞，竟使她所穿的衣服完全被震開，足足有一個月之久，大家都以為凱洛活不下來，但經過三十幾次的手術，借助於脊椎支持器具，有段時間且無法離開病床長達一年，但畢竟奇蹟似的保住性命。這種苦痛的經驗，影響她的觀念極大，凱洛自承，「我的畫作，全都是最坦誠的自我表達。」去世前一年，早年壓壞的足踝惡化，不得不把它切掉，從此憂悶易怒，而於一九五四年七月十三日辭世。

與里維拉的結合，自係凱洛生命史上的大事。當時，里維拉已是名震一時的共產主義壁畫大家。但有一次她卻表示：「我的一生有兩大意外巨禍，一次是街車把我撞倒。……另一次則是狄亞哥。」狄亞哥·里維拉天性風流，到處拈花惹草，甚至與凱洛的妹妹有染，被凱

洛發現之後，她剪掉一頭長髮，再也不穿里維拉中意的服飾，把自己打扮成男人的樣子。這對歡喜冤家一度離婚，後又復合。但無論如何，凱洛藝術地位的提升，以及她被歐洲與美國文藝界所承認接受，里維拉應有推動之功。

或許是出於報復心理，凱洛一生的情史很精彩。她的愛人男女皆有，也因此後來的女性主義者和同性戀者，大都視她為先行者，認為她對女性身體自主意識，乃是一位身體力行的人物。她的愛人當中，包括蘇聯革命時代的紅軍領袖里昂·托洛茨基，也就是所謂共產主義「托派」的始源，在與史達林鬥爭失敗後，流亡墨西哥，後來史達林派出殺手前往墨國，用利斧把他砍死。她所交往的名流，還包括大藝術家杜尚、米羅、康定斯基、畢卡索等人，畢卡索送她的耳環，成為凱洛一生最珍愛的一對耳環。

藝術界的名聲，在凱洛而言，則是先成名於歐洲與美國，後來才受到自己母國的重視。藝術批評家安得瑞·布來頓畫龍點睛式的寫道：弗里達·凱洛的藝術，乃是「掛在砲彈上的綵帶」。讀來至為傳神。可惜筆者根本欠缺足夠的藝術素養，只能轉述。凱洛活躍於巴黎文藝界時，超現實主義正在盛行，有人把這個新標籤往她身上貼，她駁斥說：「我從來不畫夢幻，我畫的是自身的現實。」不少人以為，其實凱洛一生的作品全是「自畫像」。

去世將近五十年後，弗里達·凱洛最近又受到各界的重視。電影界尤其對她一生的事蹟感到興趣。有拉丁天后之稱的當紅女星珍妮佛·洛佩茲，有意拍她的傳記影片。另一位知名女明星索瑪·海耶克，經過六年籌劃，明（二○○二）年將開拍一部電影「弗里達」，海耶克自己演主角，製作者為電影界甚具實力的Miramax公司。流行音樂巨星瑪丹娜，也是凱洛的崇拜者，收藏了好幾幅她的畫作，這兩位女性，都是不畏流言放膽獨行的人物，相隔數十年，也許不無惺惺

相惜之感。當影片拍成以後，這位墨西哥女畫家的生命，應會更為世人所知。

此外，凱洛生前不同流俗的個人裝扮，最近更受到服裝設計界的垂青。她略帶波希米亞色彩的風格，許多名牌服飾公司正在仿行。由於凱洛腿部因車禍重傷而殘缺，她自然經常穿著長裙以掩蓋，上衣多頗複雜而佩戴各類飾物，且偏愛帶有刺繡和蕾絲邊的上裝或連衣裙，身上搭配的東西更是隨心所欲甚富創意，有時掛滿閃亮搖曳的銅幣，使得整套服裝出奇的重，穿在她瘦削的身軀上，竟別有一番風味。著名的時裝雜誌Harper's Bazaar十一月份，有專章介紹，圖文並茂。有一點倒是不妨一提，凱洛生前絕非迷信名牌服裝的人，便宜粗俗的東西照樣往自己身上堆。但目前模仿她風味的名牌產品，襯衫動輒上千美元，皮帶上百，項鍊上千，戒指高達數千美元，一身穿戴下來，價碼不菲，以共產主義者自居的凱洛，死後有知，作何感想？

前段提到的專文中，末尾寫道：

> 她遺體的火化令人震驚，是典型的死亡之舞。來追悼的人，目擊她的身軀由於對高溫起了反應，竟直立起來，無不吃驚，當她的頭髮有如光環般圍繞頭部焚燒時，就像是面對大家一樣。不論是活著或死亡，弗里達·凱洛迫使旁觀的人面對人身解體的恐怖。她很可能如此看待，這乃是她最後的藝術作品。

弗里達·凱洛的一生雖短，但相當精彩，且象徵性地成了現代文明的先驅，在她歷經摧折的身軀上，以獨特的風格發揚了生命的潛能，這大概是藝術的昇華吧。

——《美中新聞》，2001年11月2日

科技自由談

人種的新危機

核子浩劫，原本是二十世紀人類心頭的一大陰影，深怕擁有核子武器的主要強權，彼此為了某種原因，而把攻擊與反攻擊的核彈傾巢而出，使得全人類瀕臨滅絕。在冷戰的高潮時期，著名的英國哲學家羅素，甚至提出「寧可被赤化也不要全體死亡」的警告。核子融解的發源地芝加哥大學有一群關懷人類前途的科學家，迄今仍在校園內設有警示鐘，提醒人們地球上的人類距離大限之日是更逼近還是推遲了些。

然而，隨著東歐與蘇聯共產體制的崩潰，以及冷戰的終告結束，全面核子大戰的威脅已經降低許多，「寧赤勿亡」徒然成了人心焦慮的一項記錄，而芝大的警示鐘，最近幾年來大都呈現推遲的走向。大體而言，今天的危局已經轉到民族主義和宗教信仰上的區域衝突，「浩劫」的規模顯然縮小了。

彷彿是在考驗人類的命運似的，就在政治與軍事互毀的可能性大幅減少之際，人類似又面臨一個存續的新危機，而這個危機不是外在的威脅，而是人類自身內在的生理再生能力的衰退，具體講，即是人類精子數量的遽減。科學界在這方面的爭辯仍多，尚無定論，此處提出來讓更多的人有所認識，志不在危言聳聽，而在喚起普遍的關切。

這個問題之所以引起關切，乃是因為近幾年來，有不少國家的研究報告顯示，精液中有高比例的精了受損或變形，精子的數目有明顯下降的情形。女性每月排卵一次，男性每秒即可產生一千隻以上的精子。大體上講，每一千萬精子，大約只有十萬進入子宮，只有幾十隻能游抵卵子附近，其中一個強到足夠穿入卵子的外膜。每公撮（約比

一小茶匙少些）的精液，其精子數若低於二千萬，生育能力便已降低，如果少於五百萬，往往即可斷言已無生育能力。雖說只要一隻精子即可使卵子受精，但機遇率其實是相當低的，生命的可貴非僅是價值上的認定，也是事實上的必然。

有關這方面的主要研究、科學界正反雙方的意見等，紐約客雜誌一九九六年元月十五日這一期，載有勞倫斯、萊特所撰〈寂靜的精子〉長文（標題顯然仿自影響世人環保觀念至深至大的卡靜女士《寂靜的春天》一書），用通俗的筆法，縷述專業的問題，頗可參考。以下的內容和數據，係摘錄自此文。

早於一九七四年，艾荷華大學納爾遜與彭吉兩位醫生抽取三八六位已育有子女的男性精液樣本，發現每公撮平均精子數只達四千八百萬，而上一代的男士平均為一億，在他們的研究樣本中，只有百分之七的人合乎上一代的標準。再拿二十年前不育男士的精子數與七〇年代有生育者對比，竟然發現前者（不育者）還高於後者，後來費城、休士頓也有類似的發現。但康乃爾大學研究精子的大宗師麥克里奧與王穎則於一九七九年發表論文，認為全面性的精蟲數量減少的說法，尚無法接受，研究者的分析可能有所失誤。

其後丹麥醫師史卡克貝克於一九九〇年研究本國男子的精子數，發現百分之八十四的人其精子品質低於世界衛生組織所訂的低標準。九二年，更擴大收集全球有關精子研究報告共六十一份，發現的確是有精子數目減少的趨勢，經過推算以後，一九四〇年每公撮精液有一億一千三百萬精子，一九九〇年降至六千六百萬。更嚴重的是，精蟲數低於二千萬的男子，比五十年前多三倍。相關的研究報告指出，奈及利亞平均數為六千四百萬，德國七千八百萬，香港六千二百萬。蘇格蘭艾丁堡市史都華·爾文的研究顯示，四〇年代出生者平均為一億兩千八百萬，一九六五年出生者降為七千五百萬，一代人的時間，竟

減少約百分之四十。法國巴黎市的皮耶‧朱內的統計顯示，精液的濃度每年平均減少百分之二，一九七三年平均數為八千九百萬，一九九二年為六千萬。

在哺乳類當中，人類的精子製造能力是最弱的。話雖如此，但在短期內呈現急遽下降的現象，總是不免令人擔憂，人類是否已經面臨了「生育的危機」？有一派科學家認為，迄今為止並無足夠的證據證明精子數目的確已大幅減少，說人類已瀕臨滅種之虞，實在過於誇大。另一派科學家確信精子數目減少誠有其事，但原因何在？學者解說不一。芬蘭學者的研究顯示，教育高比較富裕者精子數較多，並且認為有季節性，冬多夏少，而現代人使用人工光線過多，不啻是延長了夏季的時間。抗生素如盤尼西林、香煙、大麻、酒都會影響精子的製造，有些化學品會造成不育，防止流產的藥往往有後遺症，精子減少為其一。不過，目前最受注意的可能是雌激素，畜牧業把它當作主要的生長激素，影響廣泛。但德州大學的史提芬‧塞夫教授則認為此說尚不能成立，人們從工業產品吸收的雌激素，若和從自然食品如水果、蔬菜等攝取者相比，根本微不足道。

人類一方面有人口過多食物不足的壓力，另一方面似又有精子遞減的危機，如何在這種矛盾或兩難困局中求取生存之道，或許是二十一世紀的重大考驗。

——《美中新聞》，1996年2月23日

青春永駐，是禍是福？

　　最近一期的時代週刊（一九九六年十一月廿五日），以「青春永駐」為主題，報導美國與加拿大科學界有關人體老化的最新研究情形。即使不是學生物科技、遺傳工程、醫學研究方面的人，對這樣的主題還是會產生相當的興趣，因為它觸及了人類最原始而且至今未能達成的欲求－青春永駐，長生不老。

　　國人從小就知道，秦始皇在一統中國以後，派遣徐福率五百童男童女赴海外求仙丹，供始皇服用，冀望長生不老。即使這是個神話，那麼如同人類社會的種種神話一樣，它所表達的其實是人內在深層的根本慾望，不同的種族與文明，皆有之。正因為迄今為止無人達成，反而使它成為永無休止的追求，其間的希望、嘗試、挫折、失敗、欺騙、虛幻與不斷萌生的新希望，把人的精神面貌更加充分的表現出來。

　　長生不老與青春永駐必須兩者兼得，才有意義。否則光是壽命綿長，價值並不高。曾經聽過不少耄耋長輩慨乎言之的歎息，活得太長未必算是福氣！雖則子孫滿堂，生活無虞，但體衰軀弱，行動不便，視聽記憶等能力喪失大半，既已不能做出貢獻，又很難真正享受生活，徒然具備高齡的虛名，有什麼意義，長輩們的慨歎，並非無病呻吟。平心而論，七十多歲老翁的滿頭白髮，在夕陽映照下固然有其風範，但三十歲的男士挺著筆直的身軀迎著晨曦走向辦公大樓，再怎麼說，總是更顯得活力充沛；祖母臉上的皺紋雖然慈祥和藹，但購物中心二十餘歲小姐們的衣香倩影、微紅面容、婀娜麗姿，畢竟更為誘人，有幾個男士，在一位老太太走過身旁之後，還會頻頻回首偷瞄幾

眼呢？在兩性關係上，青春真的是最主要的資產。企望青春能夠在自己身上多多留駐，實在是人情之常。

事實上，人類平均壽命的大幅增長，不過是二十世紀的事。以美國為例，一九〇〇年，美國人平均壽命四十七歲，到了一九九六年，則已增長為七十六歲。（女性比男性長命，大體上多活七年上下）增長幅度相當可觀，但似乎到了某個程度以後，所能增長的幅度便越來越緩慢。人壽到底有沒有極限呢？杜克大學的詹姆斯‧伏培爾教授認為，如果真有極限，我們目前沒有證據顯示人的預期壽命已接近極限。我們在這方面的知識，有待開發的領域還很廣闊。

一般說來，現代人對人類老化的研究，是到了二十世紀後半才開始的。一九六一年，解剖學家雷納‧海佛立克想瞭解，老化是從什麼地方開始的？他對細胞加以實驗，先自胚胎組織取出細胞培育，觀察細胞本身的分裂情形，發現分裂到一百次，便不再分裂。他再從一位七十歲的人身上取出細胞培育，發現這次細胞老化現象更早產生，分裂二、三十次以後便告中止。這次實驗引出細胞老化的概念。後來的研究發現，新陳代謝與老化息息相關，新陳代謝越多，老化越快。身體攝取的卡路里減少，體溫下降，新陳代謝便緩慢下來，與之相關的生理現象也趨於緩慢，其中包括細胞分裂，分裂慢下來，老化的現象也隨之而慢。由此可以大體推知，身體減少吸收卡路里，應該是延長壽命的方式之一。中國人勸告年紀大的人要吃得少，看來是有根據的。研究老化的另一個重要的途徑是直搗黃龍，亦即以人體的引擎－基因－為研究目標。

細胞為什麼會死？科學家發現，染色體頂端有一小部分無明確的目標，其功能好像鞋帶兩端尾巴的塑膠圈套，使線頭不會分散，研究人員稱之為telomere。細胞每次分裂，這個套子便縮短一些，約略分裂一百次以後，便所剩無幾，原被壓住的細胞開始暴露及活動，產生蛋

白質，而促動細胞組織的老化。（精子與癌細胞例外，這類細胞可分裂數千次）下一步自然是針對分裂次數無限制（或限制極微）的細胞，找出什麼原因使它的telomere能夠維持如此之久。一九八四年，柏克來加州大學的卡羅‧格雷德和伊州沙白‧布雷本從事這一研究，五年後耶魯大學葛瑞哥‧莫林針對癌細胞的研究，印證了前者的發現，他們稱之為telomerase，這個東西可在卵子形成前的細胞、產生血細胞的脈細胞和絕大多數癌細胞中發現。目前研究人員的目標即在尋找指揮它的基因。他如加拿大麥吉爾大學哈兒斯密對動物染色體所找到的「時鐘一號」基因，西雅圖謝倫勃革在酵素中發現的基因順序，都是研究老化卓有貢獻的成果。

時代週刊表示，目前的研究水平，還無法使人的壽命延長兩倍三倍，更談不上長生不老，若能使目前的平均壽命延長四、五十年，也就很了不起了。然而問題是：延長幾十年，衍生的問題非常多，如何處理這多出來的四、五十年？

延長壽命必須與生育、人口成長、環境（包括食物、能源、生存空間等）的負荷力、社會結構的調適等，一併思考。人口的壓力除了來自出生率之外，年齡老化也是因素。壽命的延長勢須伴以生產期的延長，否則整體社會將無法負擔這種「青春永駐」的現象。這又再度說明科學研究的社會影響是無從預測的。青春永駐，是禍是福？

——《美中新聞》，1996年12月6日

科學的末日？

　　最近幾年，每臨歲暮，大家心頭想起的不僅是廿世紀的倒數幾年，同時也是耶穌降生以後第二個千年的結尾。如果真有所謂「世紀末」的風氣或情結，則這個情結還包含了「千年末」的意味在裡頭。

　　徵諸人類具有正式文字記錄的歷史，類似的景況甚為罕見，幾乎說是前所未有。第一個千年結束的時候，地球根本還談不上有所謂國際社會，現在流行的「地球村」觀念，更是晚近才有的事。當時東西方的文明只有零星的接觸，完全欠缺大規模的交流：美洲大陸更為當時歐、亞、非等洲的文明所不知；南北半球的對比，自亦尚未存在；其實，連地球是圓的，也是在十七世紀伽利略提出以後，才漸漸變成普遍的認知。簡單的回溯一下往史，更加使人覺得這個「世紀末」兼「千年末」是相當難得的。

　　置身於此種知識氣氛下，開風氣之先的學術界與知識界人士，「終結」或「末日」（均係用來譯英文end一字），便成為瑯瑯上口的流行詞語。細究起來，在一九五〇至一九六〇年代，哈佛大學社會學家丹尼爾・貝爾，發表《意識型態的終結》一書（一九六〇年初版），引起大西洋兩岸歐美學術界的激烈辯論，「終結」一詞盛行一時。不過，當時離世紀末仍有數十年的距離，經過一段時間的淘洗，這個名詞又沈寂下來了。直到一九八九年，時為美國國務院政策設計處副處長之日裔美籍學者福山，在「國家利益」夏季號發表〈歷史的終結？〉長篇論文，極受國際學術界的重視，三年後擴大成一部暢銷著作《歷史的終結與最後之人》。這篇論文和這本著作，再度帶動了「終結」或「末日」一詞的流行，而且這一次也許拜時機恰好之賜，其普及性已

不限於學術界，同時還拓展到自然科學的領域，令人不無意外之感。一九九三年，大衛・林得理刊行《物理學的終結》一書，最近約翰・何根出版《科學的終結》，都是很顯著的實例。

凡是曾經仔細讀過福山《歷史的終結》論文或同名書籍的人，都應該知道，作者用「終結」一詞，指的並不是終點或結束，「歷史的終結」其含義不是人類文明的歷史到此結束，再也走不下去了，重點無寧是在闡明：經過兩百餘年的演進，人類意識型態的發展實已告一段落，西方自由、民主與平等的理念，已經普遍成為全人類的政府形式，曾經向它挑戰的法西斯主義與共產主義，先後失敗，似已別無其他理念和制度足以取代之，今後的任務係在使自由民主益趨普及與完善，而不是另外再去覓求別的理想。「終結」或「末日」的含義，大抵如上。

紐約時報的年終推薦名單內，把《科學的終結》列為一九九六年非小說類值得重視的作品。這本書的作者約翰・何根，任職於「美國科學界」雜誌，曾對當前的主要哲學家與科學家從事訪談，他把這一系列在該雜誌刊出的記錄，重加整理編排，即成為本書的骨幹。何根的基本看法是，做為「理解宇宙及吾人在其中的地位這項根本探求」之科學，不久之後即將成為過去，雖則應用科學仍當繼續發展。理由有二：一是政治性的，一是學術性知識性的。政治性理由，主要涉及經費，近代的科學研究，耗資鉅大，絕大部分仰賴政府的支持，但科學研究的報酬愈來愈低，官方業已失去耐心，這點可由民意機構如國會不時提議刪減科學研究的預算，以及輿論界時或批評科學研究太過於浪費等情，而得到旁證。

至於學術知識方面的理由，作者並不諱言，他的基本假設淵源於文學評論家哈洛・布魯姆的理念，布魯姆認為自米爾頓和莎士比亞而後，再也沒有一位作家超越他們。何根藉此表示，達爾文的進化論、

物理學上的量子力學面世之後，再也找不到科學家比上述更有成就的了。「純科學之未來進步，最大的障礙來自它過去的成就。」這是相當迷人的說法，作者分從歷史、哲學和科學方面舉證，以實其說，甚至分別檢討各門科學的現況，發現有的學門已經不再是科學了。書中舉出目前當紅的物理學家艾德華·維屯等的《超集理論》（暫譯 superstring theory。維屯現年四十四歲，普林斯頓大學高等研究所教授，時代週刊一九九六年六月十七日這期，把他列為全美最富影響力的廿五位人士之一），認為若要驗證此一十度空間的理論，則機器設備必須比銀河系統還要大，根本已脫離「經驗科學」的範疇。

科學究竟是不是（或者說能不能變成）一項永無止境的追求？這本書提供了悲觀的看法。近年來，科學研究方面的詐欺案件漸為世人所知，許多科學研究耗時久長而無具體成果（例如癌症研究），更無實際效益，連科學界本身也有不少人承認，科學研究已陷入危機。人類的致知活動，雖經數百年的發展，但後來竟告中止停頓者，過去確有史例。現在科學的末日就要來臨了嗎？

此處不妨學約翰·何根，也以文學現象來試為解套。事實上，文學每隔一段時間就會有「小說死了」、「文學壽終正寢」的說法，言之鑿鑿有理有據，但只要有一部劃時代的小說巨著出現，文學訃聞即告失效。科學似亦可做如是觀。

——《美中新聞》，1996年12月27日

科技增進自由

　　英國小說家喬治・歐威爾（本名艾瑞克・布萊爾），於一九四九年出版名著《一九八四》，影響極為深遠。現在離他預測的年代已過了十三年，小說中描述的極權政治控制人民思想與行為的種種手段，幸好並未發生。話說回來，這類預警式的著作，價值本非繫之於預言精確與否，無寧是以大作家的睿智及洞見，指出可能出現的危機和陷阱，供後世參考。事後的發展，若使書中的預測「自我毀滅」，對大家反而是可喜的祝福。

　　《一九八四》小說中無所不在的「老大哥」，隨時透過先進的科學技術，「注視你」。這個形象，烙印在許多讀者的腦海中，同時使大家心頭萌生一個暗影：極權專政的執政者──不論是個人還是黨組織，掌握了社會的所有資源，當他們傾其全力發展科技時，對人的控制手法與技巧必然越來越進步，屆時處於弱勢的被統治者，只有任人宰割。換句話講，科技在這樣的境遇下，反而是自由的敵人。

　　一九五七年，蘇聯領先美國將「史潑尼克號」衛星昇入太空，這件事對當時人心衝擊之大，尤其美國科學、教育與學術界，更是視之為絕大的警惕，非急起直追不可，直到十多年後美國率先登陸月球，才多少平衡過來。再者，第二次世界大戰期間，納粹德國集中科技精英開發武器，據說成就可觀；蘇聯共產黨執政以後，經過一段時間的經濟政策調整，致力於重工業的興建及發展，在共產政權宣傳機構的大力傳播下，使人認為蘇聯科技進步之神速，無與倫比，「史潑尼克號」事件，似乎彰顯了民主政體的無效率和雜亂無章，缺乏「大策略」。何況，極權國家學生的數學水準，平均比民主國家為高，而數

學又是一切科技的基礎。凡此種種跡象,難免令人造成一種總體印象,那就是:自由民主未必是科技發展的必要條件,而科技的發展往往成為當權者宰制社會和群眾的手段,即使說科技是價值中立的,難以論定它是自由的敵人,但也很難肯定它對自由的貢獻。在冷戰正熱的年代裡,許多相信自由民主的人士,內心仍然不無上述的惶惑。

然而,晚近的科技發展,以及它與社會人群產生的互動關係,卻扭轉了前面的悲觀心理。一九九四年,彼得·胡伯寫的《歐威爾報應》一書問世,諷刺《一九八四》小說中言之鑿鑿的「電子幕」(實即是雙面電視),技術上講,無非就是把個人電腦連線起來而已。談論國際問題最受人重視的《外交事務》雙月刊,最近慶祝七十五週年(見一九九七年九、十月份),列舉過去七十五年來最重要的著作,在「政治與法律」類,第一部就是《一九八四》這本小說。推薦學者福山評論說:電腦的連線,非中央集權的政府所能加以控制。廉價電子科技的擴散,傾向於使權力分散而非集中權力。允許公民思想自由、財產私有和自願溝通的社會,科技的發展最好。

遠較通俗的《讀者文摘》月刊,今(一九九七)年七月份,刊登了一篇原始文章(此地贅言幾句,讀者文摘自以摘錄縮寫已出版的文章書籍為主,但也刊登第一次問世從未在別的刊物出現的作品,該刊稱之為原始文章),標題為「歐威爾搞錯了」。作者是大名鼎鼎的自由派專欄作家麥可·金斯禮,此君原為美國出版界的青年才俊,廿九歲就當上《哈潑月刊》總編輯,經常在電視上主持論政節目,目前則是微軟公司電子雜誌Slate的負責人。

金斯禮在文章中指出,電腦初興時,尤其在一九五〇和一九六〇年代,電腦能量越做越大,許多人擔心資訊與權力也因此而愈來愈集中,巨型電腦被視為人類自由的威脅。然而,到了八〇年代,小型、微型個人電腦出現,這種被威脅的心理壓力漸告消失,今天電腦信息

業的人，大都深深地相信，科技的革命也是人類自由的革命性進展。

另外一個與政治自由更有關係的科技產品則是「傳真機」。國人或許還記得，一九八九年春天北京民運期間，海外－特別是美國地區－不時利用傳真機與中國大陸互通訊息，使得六四天安門事件的經過實況與解釋版本，不再如過去一樣，只限於官方的說法。一九九〇年華盛頓郵報刊登了一篇文章，標題為「全世界的工人們，傳真起來！」（仿自馬克斯、恩格斯「共產黨宣言」最後一句話：全世界無產者，聯合起來！）進入九〇年代，電腦連線出現，個人的資訊能力更是向前邁進一大步，也使得政府控制信息的能力近乎被摧毀！

當然，已經習慣於掌握和控制信息的政權，一時還無法適應過來。中共政權曾經通令，凡擬與中國大陸境外的經濟信息連線者，必須透過新華社的登記和集中管理。金斯禮認為，限制公民與電腦連線接觸，很可能會失敗，即使真的行得通，代價也實在太高了，因為這些工具乃是經濟成長所不能不依賴的東西。筆者還添加一層憂慮，集中管理後的信息，速度必定比不經管理者慢，而在市場上，慢信息就是壞信息！

個人電腦、傳真機、電腦連線等最新的科技發展，對經濟自由與政治自由起了增長的作用，再度印證了一項常理：科學及技術的成長發展，長期看來，必須奠基於自由與民主的環境。違反這一常理的政府，只是在自我束縛而已。

—《美中新聞》，1997年8月29日

對資訊科技的反思

　　資訊科技（Information Technology，簡稱IT）乃是當今的新寵，也是全球工商業的熱門焦點。比起基礎更為深厚久長的傳統產業，它所受到的重視，遠比其目前真正產值還大。以美國微軟公司為例，六月七日聯邦法官賈克遜以該公司的營業行為，違背反托辣斯法（Sherman Antitrust Act，一八九〇年國會首度通過，一九一四年另做增補，把工會自該法免除），裁決微軟公司一分為二，這一處分頓時成為世界新聞。微軟公司董事長比爾・蓋茨的個人財富，近年多次被列為世界第一，但就公司的全年營業額而言，迄今仍只約主要汽車生產公司的五分之一罷了。

　　當然，光從日常生活中的一些現象，即可感受到資訊科技的影響。一個人坐在家裡，連上網路以後，彈指之間（在過去，這是形容時間短暫的成語；今天，則是實際行為的描寫），可以讀東岸紐約時報的社論，看西岸洛杉磯時報的報導。中國大陸的消息、臺灣政壇百態、香港雜誌專文，全到眼前，坐擁信息，顧盼自雄。北史李謐傳所云「丈夫擁書萬卷，何假南面百城」的境界，如今e世代人人可及。我國古人所謂學富五車，大概一張磁片足足有餘。這種便捷有效，自係拜資訊科技之賜。

　　不過，先決條件是必須擁有這些工具，加上能夠予以運用。而這個看似簡單的條件，卻足以造成莫大的差異，在社會、政治、經濟、文化上的含義，連同從而產生的餘波，實在極其廣泛深遠。

　　即使社會富裕如美國，仍有許多低收入家庭及其子弟，無法享受現代科技的成果。此所以柯林頓總統曾經公開宣佈，要泯除貧富之間

的「數位差距」，不僅要讓窮人家的孩子有機會接觸電子計算機，更重要的是讓他們也能學習相關技能，長大以後才不會技不如人，進而提高美國社會整體的競爭力，內可促進社會的和諧，外可與力爭上游的其他國家一爭長短，當然，美國人的意思其實是想永遠保持在資訊科技方面的領先地位。臺灣一再宣稱建設成為科技島，或人文科技島與綠色矽島，名稱雖異，用心其實是一樣的。

　　國人喜歡高言廿一世紀是中國人的世紀，但美國人卻相當自信地認為新世紀仍將是美國人的。曾任國防部高官，現為哈佛大學政府學院院長的約瑟夫・奈伊，就曾在外交事務雜誌上發表長文詳加分析，認為美國在電子、資訊、生物等新科技領域具有領袖群倫的地位，而其他國家在這方面落後美國的情況，在新的世紀很可能是差距擴大而非縮小。奈伊的篤定態度，外國人看來不一定欣賞，但並不是全無根據。原本最有資格於科技上威脅美國地位的日本，最近十年來的表現，恐怕正好是差距加大中。

　　麻省理工學院著名的經濟學家李斯特・梭羅，近日參加在臺灣舉行的「二〇〇〇年世界資訊科技大會」，六月十二日指出：具有創意和經驗豐富的技術人口、良好的基礎建設、龐大的研究開發投資，是臺灣在全球資訊技術世代發展的三個必備條件，欠缺第三個特色，仍難以成為環球科技的領導者，而對小國而言，則是相當困難的。他舉美國為例，全國總生產約有百分之三用於資訊科技產業的研發，即三千億美元左右，已等於臺灣整個國家的經濟規模了。不過，梭羅的說法多少屬於線式思考，投入資金的多寡與產出的成果未必等值；況且「科技天才」與「管理英雄」的誕生，似無公式可循，這等人物的出現，會使科技發展為之改觀。話雖如此，梭羅的觀點還是有可取之處。

　　另外，梭羅對東方社會的觀察與批評，倒是值得我人自省。他表示，東方社會向來重視「記憶」而非「創意」，以東京大學為例，工

程學系學生若能把原有的功能提昇百分之一的效率，便可獲得「甲」的成績，但在他任教的麻省理工學院，則需提出全新的思考方式或運作方式，才能得到同等成績。梭羅認為，建立完善的企業體制，必須鼓勵有創意的人，由於這種人開始時都會失敗，因此也要能「容忍犯錯」，並舉目前成功新興公司為例，他們多半已經有過兩次失敗的教訓。梭羅教授其實同樣可舉傳統產業為例，亨利‧福特在創設福特汽車公司之前，已有兩次創業一敗塗地的痛苦經驗，非獨新興科技為然。「容忍犯錯」，向來是自由政經體制的根本精神之一。

對社會新寵或流行現象重加檢視反省，有時需要一點反潮流的勇氣，但知識份子與學術界的活力和批判精神，也表現在這個地方。據臺灣中央社六月十一日的報導，加拿大曼尼托巴大學教授瓦可拉夫‧史密爾，於加國第一屆「科技娛樂與設計大會」閉幕式致詞表示：科技再進步，還是無法解決許多基本問題，許多人過度依賴科技而活，但對科技的根本知識卻茫然無所知。他批評加國官方花許多經費教學童使用電腦，卻忽略教他們基本科學。缺少基本知識，人類便失去立足點，對事物的判斷會失掉觀測準據。在他看來，二十世紀最偉大的發明，不是電腦軟體或網際網路，而是氨氣，氨元素是肥料的主要原料，使農產品得以增加生產，千千萬萬的人因此免於饑餓，地球可以養活三十億以上的人。史密爾慨然說道：「軟體可以吃嗎？有些人認為我們可以不靠大自然，照樣活得下去，這種想法真是白癡。」

什麼才是最偉大的發明，自係見仁見智。但回歸基本的反思，卻是絕對必要的，否則大家極容易在流行中迷失，對流行萌生拜物心理，徒然見其淺薄而已。資訊科技所帶來的便捷與新管理方式，一般人自宜接受甚至享受，不必去拒絕和排斥之，但人類的真正進步，還得視其內含為何，方見分曉。

——《美中新聞》，2000年6月16日

隱私不應輕易讓科技侵犯

　　科學技術的發展，造福人群社會，這當然是不容否認的事實。嚴格講，科技的「解放」能量，遠遠超過任何流血的政治革命，從這一角度看，「革命」實在不等於「解放」。

　　然而，在採擷科技成果的同時，也給社會帶來為數不少的負面效應。第二次世界大戰末期研發出來的原子武器，一方面使得大戰迅告結束，核能發電開拓了新的能源領域；但另一方面卻也令全球人類面臨核子大戰、人種滅絕的威脅。即使在日常生活上，科技固然帶給大家許許多多的便利與效率，但精密的監聽設備，足以錄下人與人間的私密談話；商店和辦公室裝設的隱藏攝影機，將顧客及員工的行動一五一十留存下來，無所逃遁；電子計算機可以大量收容個人資料，官方或大公司若刻意設法收集編纂，一般人的私密訊息——甚至包括銀行存款、投資明細、病歷、喜愛癖好等等，其保密性便相當可疑了。

　　論者有謂，隨著通訊科技的急速進展，個人擁有的私領域不但屢遭侵犯，而且版圖正逐步縮小。何況，相關的法令規章的出現，依社會演進的基本邏輯，必然只能尾隨在科技發展的後頭，並且這種「落後」，才有利於科技發展，否則事先空想式的妄加規範，徒然斬斷其生機而已。不過，科技與個人隱私間的關係，牽涉至廣，不能也不應任它長期處於無法律規範的狀態。

　　六月十一日，美國聯邦最高法院便在這一方面做出一項裁決。跟具有爭議性的其他案件一樣，也是以五對四票的比數提出多數意見。這份裁決是否影響深遠，短期內不易下定論，但各主要大報皆把它列入重大消息予以報導，說明了各界都甚為重視。

　　茲將案情經過及正反雙方意見概述如次：

　　一九九二年奧瑞岡州弗羅倫斯鎮，執法人員鎖定當地某住宅，採用紅外線攝影機測量它的熱量放射，發現該屋車房和一扇牆壁放射熱量頗高。警方本就懷疑屋主涉嫌從事非法活動，認為嫌犯利用高強光燈培育大麻，官方於是取得許可令進入屋內搜查，果然發現係於室內種植大麻，並找到武器和製造毒品的用具。屋主承認違法，但條件是他對搜索行動的合法性將提出抗告。

　　屋主的抗告先由舊金山的聯邦上訴法庭處理，該庭認為警方所用設備頗具侵擾性，足以構成非法搜索。但官方不服上訴，第九巡迴法庭卻裁定測量熱量放射並非憲法第四條修正案下所指的搜索，因此採用該設備不必事先領有許可令。聯邦司法部的論點是：測熱設備並非針對私人地點進行「私人活動」的偵察。涉案人不服第二次裁定，案子於是送入聯邦最高法院。

　　最高法院的判決文由保守派大法官史卡利亞主稿，贊同大法官為蘇特、湯瑪士、金茲堡和布來爾，這是自由派與保守派法官的奇異結合。持異見的大法官則為史帝文斯、冉奎斯特（首席大法官）、歐康納及甘納迪，不同意見書係史帝文斯主筆，反對派同樣是保守派與自由派法官的奇異結合。史帝文斯表示，警方所用器具其實相當簡陋，無非是就「屋子的外頭加以觀察」罷了。鄰居或路過的行人，很容易注意到該屋的熱放射情況，比如雨後的水氣蒸發或下雪後的屋頂融化，顯然在該屋的不同部分有不同的速率。

　　但史卡利亞卻以為，警方使用的設備，舉例講，可能會揭露該屋之女主人何時洗蒸氣浴和淋浴，這些細節許多人均視之為「私密性」。他又指出，依據憲法，一個人的家宅享有「起碼的私密預期」。對此種起碼的私密預期若不加以保護，必然會讓警察科技腐蝕第四條修正案所保證的個人隱私。史卡利亞尤其著重說明：本案情形，政府使用

的設備不是一般公共使用者，拿它來刺探家宅細節，而這些細節，若非具體侵入，則事前無從知悉，因此類似這樣的監控就是一項「搜索」，事先沒有取得許可令顯然不合理。

在最高法院的裁決文中，史卡利亞大法官明白提到：「科技有能力縮小憲法保障的隱私領域，今天吾人面臨的問題乃是其限制何在。」他還進一步說到，「在家宅內，一切細節都是私密性的細節。」因此，容許監視設施濫用，必當迫使家宅主人橫遭科技進展所擺佈。一個人居住的家宅，就是他最後的堡壘。這個在西方傳承已久的根本信念，於此似乎再度受到最高法院的肯定。

執法人員尤其是警察方面，對最高法院這次裁決，必然相當失望甚至不滿。畢竟科技工具的運用，已經成為警方不可或缺的利器，不論是犯罪偵察、破案或是預防犯罪，新的科技設備都派得上用場。然而，執法者更重要的乃是本身要受法律的拘束，否則執行法律的人本身率先不遵守法律或破壞法令規定，其為害之烈，足以動搖法治的根本。大家樂見警方採用最新科技設備，即使警方經費可能因此提高也願意接受，但要是運用這些設備竟然不受法律的限制，凡有法治觀念的人，斷然不能同意。

科技和個人隱私的矛盾，與民眾的日常生活愈來愈相關。最高法院的裁定，至少立下了一個足資憑恃的判例。

——《美中新聞》，2001年6月22日

形像與夢影

華 埠 的 形 象

　　紐約客週刊女記者Gwen Kinkead在六月十、十七日幾期，發表了一篇長文，報導紐約的中國城。就記憶所及，除了華裔學者研究華埠的專著外，美國重要刊物用長達四十八頁的篇幅來記述華埠的種種，這應該是手筆最大的一次。

　　作者花了好幾個月的時間，在華埠上下奔走多方探訪，旁及當地警察及司法機構。為求深入了解華人販毒的詳情，亦肯出機票給聯邦調查局臥底的華人線民，到他指定的都市及旅館去訪問，以策安全。態度不可謂不慎重。

　　華埠之於美國，處於一種顛倒的「租界」地位。它不是高級進步或享有特殊待遇的光輝所在，而是封閉但又繁榮、熱鬧卻嫌髒亂、神祕之中帶有某些犯罪色彩的「異域」，至少洋人眼中看來是如此。

　　在作者的筆下，華埠的領導階層仍不脫幫派堂口的作風，至於一般居民則是工資微薄但卻只知拚命工作及存款的賺錢機器，華人性格中最顯著的特色是好賭──便宜了大西洋城的賭場。近十年最刺激而引人入勝的發展，乃是金三角地區製造的「中國白粉」純度越來越高，在美國海洛英毒品市場佔有率節節上升，華人國際性販毒活動愈見猖狂。全文以華埠係一自存自守而為外人所無從理解的國度開頭，最後舉中國城老人六十年來從未跟白人說話結尾。

　　華埠的真相是否如此，姑且不論。遺憾的是：百餘年來，美國人對華埠及華人的了解有所進步了嗎？更遺憾的是：華人同胞對華埠形象的提升，有無寸進之功？

──《美國時報週刊》，1991年7月27日-8月2日

日本新民族主義的興起

　　冷戰結束以後，意識型態領域的衝突爭鬥幾乎已成定局，勝利的是資本主義與自由民主的理念，失敗的是共產主義及其極權專政，今後即使還有這方面的對峙，大概也只是零星殘餘的戰鬥行為而已。因此而留下來的真空，將給國際政治帶來何種情勢？政治上本無所謂權力的真空，一有空間，短期內必然會有別的東西予以取代。共產主義退縮之後，論者大都能夠見出：民族主義與宗教信仰，最有可能取而代之。由於民族主義與一般人的切身關係顯而易見，尤其值得重視。

　　中國大陸「中國可以說不」這類書籍的盛行，固然褒貶不一，但大體而言，乃是民族主義「情緒」的表露，雖則個人認為該書所代表的「情緒」，非常偏狹而不健康，殊不足取。更重要的是，民族主義絕非某一國所專有，近年來日本新民族主義的興起，就是必須加以注意的一件大事。鑒於近代史上，日本與中國的關係深遠，曾經有過兩次大規模的交戰，在戰時為敵國，於和平期間則為潛在的對手，輕視或忽略日本的國情，對國人不利。

　　今年日本的暢銷書榜上，東京大學籐岡信勝教授以一人之力，竟然有三本書列入名單，其中《教科書中所未教的歷史》，半年內賣了約二十五萬本，成績可觀。這本書的主題，乃是在闡明：日本之進佔亞洲其他地區，乃是針對西方帝國主義擴張的一種反應，是可以理解且對亞洲人有益。書中甚至舉印尼戰後首任總統蘇卡諾的話，感謝日本軍人協助印尼人民反抗荷蘭殖民政府。其實這種說法是近年來流行於某些日本學者間的論點，東京聯合國大學副校長井口武，以英文發表的論文〈遠鄰乎？日本與亞洲〉，持論類似。都是把日本「進出」（實

即侵略）亞洲國家的行為，解釋成是為了亞洲人的利益而對抗西方勢力，甚至認為亞洲早被西方列強侵奪過，由同屬亞洲人的日本人續加侵奪，其罪過不比西方人為深。說穿了，這根本是日本學者重新解釋歷史的企圖，運用學術的手段以達成政治上「脫罪」的目的。

在另一本暢銷書《日本近現代史之污辱》中，籐岡信勝教授對第二次大戰期間，日本軍部向亞洲各國強行徵召「慰安婦」一事，提出翻案文章。日本政府事實上已於一九九三年承認此事，但籐岡教授認為，大多數慰安婦均由她們的家庭賣給私人老鴇，再轉賣當軍部，受害人當時並不知情。他還進一步解釋說，依儒家傳統，子女為父母所賣，即使到了戰後，她們也不能把本身的憤怒轉向生身父母，在這種情形下，日本就順理成章地成為最方便的索賠對象。況且隨軍營妓，古已有之，何以獨責日本？營妓確實古已有之，且非祇日本有這回事，但以儒家強調子女對父母盡孝的倫常觀念，來替日本軍部脫罪，實在匪夷所思。從儒家的經典中，根本無從得到籐岡信勝的推論。身體髮膚，受之父母，稍有毀損都有所不敢，何況去當營妓？父母盛怒之下拿大杖打子女，儒家經典明白指出應該逃開，莫使父母陷於不義，才合孝道，何盲從之有？「慰安婦」事件，明顯的不是商業性的交易行為，而是當時日本軍方的欺騙與強迫暴行，以儒家傳統為託辭，只有使亞洲其他國家更加憤慨而已。

今年十月底，東京開始動工興建一所博物館，耗資高達一億兩千萬美元，雖然迭有爭論，經費還是由日本政府承擔，建成後將由日本戰爭遺族協會管理。博物館的重點是在呈現日本人才是受害者，先是遭西方列強的鎖國圍堵，後來又受到原子彈的攻擊。展示將強調第二次世界大戰期間，日本軍人及其家庭所承受的痛楚，但對亞洲鄰國為日軍鐵蹄所踐踏的苦難，卻連提都不提。這套做法，簡直視歷史記錄及其他亞洲人如無物，筆者忍不住要問，這樣一座博物館，是要教育

後代子孫呢，還是刻意要給後代子孫培養偏見？

　　當然，日本人對上述這些趨勢並非全無異議。東京立川學院有位教授即表示：「歷史書籍應臚列事實，使人們可以利用事實當做思考的基礎。老一輩的人喜歡籐岡的著作，乃是因為它使這些人覺得過去還是美好的。」更值得欽佩的則是諾貝爾文學獎得主大江健三郎的省思。大江不久前在倫敦泰晤士報文學增刊發表〈新民族主義的危險性〉一文，以「新民族主義」稱呼當前日本知識界的某些現象，可謂一語中的。文中提及專攻日本政治思想史的學者丸山真男，努力促使戰後日本知識界的相互溝通，形成「悔悟的社群」，致力於民主政治的建立，並使日本人接受此一體制。但與目前的現象相對照，大江卻懷疑其目標是否已實現。大江尤其憂慮新一代的文學批評家這群「試探汽球」，這些人心智封閉與世隔絕，但充滿了民族主義的色彩。這些新民族主義者訴諸情感而非理性，對各種時事大發議論，自以為理直氣壯。大江擔心的是：如此一來，日本與亞洲及世界的距離將會越拉越遠。

　　民族主義一旦流於情緒，最後會變成「比激烈」，誰激烈誰的聲音大，在國際上則是以我的民族主義去打你的他的民族主義。在廣土眾民的中國大陸，有誰肯挺身而出做華人版的大江健三郎？

　　　　　　　　　　　　　　　　——《美中新聞》，1996年12月13日

瑪麗蓮夢露現象

　　田納西州孟斐斯大學藝術教授溫娣‧麥克達理絲，組織了一項大型展示，標題為Elvis＋Marilyn＝2 x Immortal（大意是貓王艾維斯加上性感女星瑪麗蓮等於兩位不朽的人物），已在美國各地巡迴展出兩年多，到處造成轟動，老少咸宜。不僅說明了學院派人士對流行文化的化身之重視，同時更值得思考的是：艾維斯與瑪麗蓮都是去世已久的明星，在流行現象有如朝露，男女明星興滅起落彷彿走馬燈的演藝世界裡，何以這兩位在美國民眾的心目中，盛名始終不衰，而且隨著時間的推移，似乎已經逐漸昇華成為一種文化現象。此處先談瑪麗蓮夢露。

　　瑪麗蓮夢露（Marilyn Monroe，美國人暱稱為M.M.）一九二六年出生，一九六二年八月五日被人發現自殺身亡。如果她還在世，則現年約為七十一歲。由於辭世時僅三十五、六歲，雖然離開人世前兩年所拍的照片，有一部分已可看出皮膚鬆弛、皺紋深化的情況，但基本上的確避開了任何「美人遲暮」的命運，留存在世人心目中的，全然是青春、嬌美、性感而誘人的形象。何況，除了早期的婚姻外，成名後她的結婚對象先為棒球明星狄馬喬，後又嫁給著名的劇作家米勒（「推銷員之死」作者），同時她與甘納迪總統的一段情，以及嬌聲嗲氣地演唱「總統生日快樂」的神態，一再成為閒話謠傳的題材，留給後人極大的想像空間，久而久之，竟有一部分變成流行或通俗文化的「神話」。

　　這位本名為諾瑪‧琴恩Norma Jean的明星，身世坎坷，幼年流離於孤兒院和不同的收養家庭之間，就學期間除了英文一科成績比較好

301

以外,別的科目都很平庸,數學尤其差,一生都不太懂得計算,也因此而造成她欠缺理財和守時的觀念。她很早便得為自己的生活著想,一九四四年就開始當攝影模特兒,兩年後首度與「二十世紀福斯公司」簽約,該公司某位主管替她改名為「瑪麗蓮夢露」,此後遂以這個藝名傳世。

夢露成名以後,大家對她的興趣不斷,有關她的書籍之多,真會讓許多聖賢豪傑大驚失色,使許多政治人物、大企業家羨慕不已。據非正式的統計,自一九五三年起,市場上便有她的傳記出現,而筆者到圖書館調查,今(一九九七)年還有關於她的新書面世,與夢露相關的英文書,至少在六百本以上,絕大多數都是圖文並現,特別是相片部分,最最受到重視,也因為這樣,到公共圖書館查閱談她的書,不時發現一些相片已經被人「竊取」,最近《美國攝影師》雜誌一九九七年五、六月份,以她罕見的相片而出專供人收藏的特刊號,圖書館特別在裸照部分加貼透明膠紙,防止雅賊切割!同時,隨著科技的進步,電腦網址以瑪麗蓮夢露為主題者不少,竟需勞動方家予以品評,把這些網址分四級,列為第四級非看不可者也有三個。請問:有那一位「偉人」-不論任何領域-如此風光過!

也許有人會不屑地反駁,書的數目雖然多,但可能多半是垃圾!筆者閱讀範圍雖然有限之至,但不得不指出,有關夢露的傳記誠然不少是攝影師寫的,因為這些人與她共事過,存有許多相片或底片,部分為從未曝光價值不菲的相片,但大作家諾曼·梅勒(此人雖未得諾貝爾文學獎,但地位絕不遜色),也寫過《瑪麗蓮傳》一大本,全書第一句話 So we think of Marilyn who was every man's love affair with America 曾經傳誦一時,直到目前還不斷被人引用。(舍下藏有此書,小兒全都翻過,當然不必去計較他們到底是看相片還是正文!)甚具風韻的美國婦女運動領袖葛蘿瑞亞·史坦納,也為夢露立過傳,她的

觀點則是，「如果當時婦女運動業已存在的話，也許可以救她一命。」

夢露曾經在廿九部電影中出現（筆者只是初步調查而已，絕非電影專家），早期連演員表都未必列名，自一九五二年十月（以電影發行日期為基準）起，她開始出任女主角，其後擔綱演出者計有「尼亞瓜拉」、「紳士愛金髮美女」、「釣得金龜婿」、「大江東去」、「七年之癢」、「巴士站」、「王子與歌舞女郎」、「讓我們造愛」、「崎零人」等，共事大明星包括查理斯・勞頓、羅伯・米契、勞侖斯・奧立佛和克拉克・蓋博等。她在「七年之癢」中，穿白色低胸露背洋裝，地下鐵火車經過時，路面氣孔把她的裙子掀起飛揚，而她一幅清涼歡快的神采，大概已經成為電影史上永垂不朽的性感鏡頭！

攝影，尤其是靜態攝影，其實才是最足以彰顯瑪麗蓮夢露顛倒眾生之所在。與她共事過的攝影家們，甚至認為夢露與照相機之間具有某種「特殊關係」，她的舉手投足，一顰一笑，身材姿態，神采容顏，透過照相機而展露其稚氣、純真、青春、性感與誘人等素質。「美國攝影師」雜誌出特刊，編者明言就是考慮到夢露在攝影史上具有不可磨滅的地位。「夢露以孤兒之身闖入電影的夢幻世界，後來竟成為她自己早年曾經崇拜過的某種銀幕偶像，用她整個的生命去追尋一位失蹤的人－亦即她自己。如果此話不假，則她會在靜態攝影中找到最近似的那個人。……她或許是有史以來最完美的攝影題材。」（見該刊頁四三）

瑪麗蓮夢露將會是世世代代通俗文化中永不褪色的夢影。

——《美中新聞》，1997年4月25日

不聽演講的民族

　　每次參加以華人為主的大型集會，不論是慶典、婚禮或是各項類型的餐會，目睹種種現象，心中難免把它拿來與以洋人為主的聚會相比，總是感慨良多。這種不太愉快的經驗，歷經多年的累積，一般人大致會有兩種反應：一是早已麻木，見怪不怪，反正中國人就是這麼一副德性，何勞費心：二是年深日久，感受越來越強烈，不吐不快，雖則說開以後，或許觸怒自己的同胞。個人涵養有限，加上有此同感的友人為數亦不少，或可稍露心聲。

　　首先，國人實在缺乏秩序觀念。進場時亂哄哄，即使美其名為「熱鬧」，但比起洋人井然有序的入場，那一個比較文明，其實是判然分明的。何況同胞們往往在進場時不忘交際，幾個人的寒喧，可以阻擋整個隊伍的行進，真足以「自豪」矣！入場以後的秩序，也未必改善多少，即使找到了自己的座位，仍然不妨隔著好幾桌，用大嗓門跟朋友打招呼，而自認為人面廣闊者，尤其擅長於各桌次之間遊走，東握一個手，西拉一個交情，既使台上節目已經開始進行，僑學界的名人仕女依然樂此不疲，甚具「中國特色」。

　　其次，則是整潔的問題。在大型集會中，洗手間的整潔頗能代表與會這一群人的水平。依多年來參加中西集會的經驗，恕在下相當不客氣地說，一千名華人的餐會，所用洗手間髒亂的程度，超過兩千名白人為主的餐會，而且不獨男士方面如此，女士方面亦然。筆者身為男士，當然無從親自進入女用洗手間考察，但問題在華人集會時女用洗手間的髒亂情形，常常擴大版圖到門外頭，不需冒險入內，已略可瞭然。談到整潔，還牽涉到些許「民族大義」。日本統治臺灣五十又

半年，從父執輩口中得知，日本人輕視華人，其中因素之一就是認為後者不夠整潔！

倒是華人佔四分之三的新加坡，在廁所清潔方面替華人爭了一口氣。最近新加坡推行「潔化公共廁所運動」，成效卓著，並且選出五千個最乾淨的公共廁所表揚之，新加坡的樟宜國際機場，近十年來一再被評為全世界第一名的機場，安全整齊清潔有效率，正是關鍵。附帶一提，北歐某國，運用心理學的策略，在男用洗手台底部貼上蒼蠅等不潔昆蟲的小招貼，促使男士於小便後必然沖水，以維持清潔，這種間接而軟性的手法，值得仿效。家鄉父老早年「乾淨到可以在便所裡面吃飯」的理想，基於人會有聯想，可能無法實現，但至少不使其臭氣衝鼻，應該是可以做到的，新加坡能，本乎「民族大義」，其他的華人社會理應「迎頭趕上」。

其實，華人集會中令人難以忍受的諸種毛病或現象，可能以不聽演講最為突出而明顯。此地所指，並不是特定演講會——比如請名家就某一題目來發表高見，或者學術性及時事性的座談會，這一類的活動，參與者多少對主題或主講人有所興趣，並無此病。同胞「不聽演講」的毛病，主要見諸於本文一開頭提到的慶典、餐會等大型集會。常見的情形是，司儀宣佈節目開始，與會者不論是站著如酒會，或是坐著如餐會，大概頂多有一分鐘的安靜，然後喧嘩如故，臨到主人或主講人致詞時，前面幾句話大致還聽得到，以後的內容便淹沒在一片嗡嗡的人聲話語裡頭，間雜著碗盤餐具踫撞的異聲，有心人即使想傾聽致詞的內容，往往「壯志難酬」，迫不得已只好隨波逐流，加入那一群「不聽演講」的人潮，空留悵惘，而期待著下一次情況也許稍有好轉。

這跟參加洋人的集會何其不同！洋人的場合當然也可持著雞尾酒杯侃侃而談，或坐在餐桌上與眾賓客笑語不斷，但一旦主持人拿起麥

克風進行節目,會場即歸於寧靜,即使尚有未用完的餐點,也以謹慎不出聲為原則,主講人的講演或致詞,即使沒興趣或不關心,也禮貌性地表示傾聽,至少不做喧嘩而干擾他人的傾聽。這不但是對這次活動、這位主人或主講人的尊重,更是對自己的尊重。上面所述並無「崇洋媚外」的意思,更非認為洋人的聚會完美而無缺點,只是經驗之談罷了。

追究起來,當然可分就主講人與聽眾兩方面檢討。國人演講時,往往無法學洋人利用開頭幾句話-或說笑話或用獨特的觀點,立刻壓住場面,大家的注意力遂難以集中。而在群眾性的聚會中,太冗長的致詞必然無法長時間吸引聽眾。不過,事實上今天許多主講人早就學乖了,很少人會在這類場合長篇大論。因此,聽眾是很值得自我反省的。平心而論,主講人絕大多數有備而來,基本上聽眾即應尊重這點,在一場長達兩、三小時的集會中,花個十五、二十分鐘聽講演,並不為過,其他時間多得很,用來交際應酬,或發表自己的讜論,都用不完,何必一定要在主講人說話時橫加干擾呢?同時,你的談話對象說不定很想聆聽主講人的見解,更不應侵犯他的權利。如果實在不想聽,何妨暫時離座,遠勝乎在席上喋喋不休!

大家或已注意到,華人於各種場合的致詞,泰半支支吾吾,不甚得體,原因之一是學習與歷練的機會較少,而其之所以如此,很可能出在國人是不聽演講的民族。

(必須聲明:筆者一樣犯有文中所述毛病,絕未自高於國人,旨在與大家共同改進。)

——《美中新聞》,1997年10月24日

棺材物語

　　初抵美國不久，便在家中收到一通推銷電話。對方販賣的東西不比尋常，並非普通的產品或勞務如汽車保險等，而是墳地。當時在下攜家帶眷，年事尚輕，接到這種電話，不無觸霉頭之感，立即告以本人目前健康良好，無此需要。美國推銷員一向具有鍥而不捨的精神，這類電話只要你沒有立刻回絕，還跟他說了幾句話，對方有機可乘，馬上展開如簧之舌，告訴你應該趁著年輕來做妥善的生涯規劃，凡事預先有所準備，才不會給配偶和家小帶來頭痛的問題。何況愈早買選擇愈多，墳地風景優美，價格便宜，老了才購置福地，因為通貨膨脹的關係，花費更大，預購絕對是划算的投資云云。

　　雖然買賣未成，但這次經驗卻在當時產生了很大的文化震盪，真是美國經驗的外一章。原來墳地也可以像普通的商品一樣，大大方方地拿來推銷，而賣方圖的當然是利潤，他們還沒有成熟到知覺買方可能會有的忌諱，這類忌諱或出於迷信，或出於文化背景，反正銷售對象即已在美國生活，照美國方式辦事就是了，賣墳地的人又不是什麼文化學者，管不了那麼多。當然，善於營生的旅美華人，有樣學樣，發現售賣墳地乃是有錢可賺的生意，自然便會有人投入其中。因此，今天若有同胞向你推銷墳地，自也不足為奇了。何況同胞對華人的文化背景遠較熟悉，又可套些鄉情，在說辭中添加一些風水方面的解說，比起洋人來，當然更勝一籌。

　　養生送死，本係人生大事。國人照樣有為送死大事早加預備的傳統。小時候住在臺灣鄉下，就曾看過有些老人家，早早買妥壽材放在家裡，同時為了防蛀防腐，每年還得把壽材上漆，久而久之，壽材經

過多次塗漆，竟也展現一種溫暖的顏色光輝，同時存放時間日久，習以為常，彷彿成了日常生活景觀的一部分，哀戚或「恐怖」的聯想，因而減少許多！或許從文化意義上講，這種視死亡為人之生活的一部分，乃是相當健康的。前述初抵美國時不甚愉快的插曲，徒然顯現自己少見多怪而已。

從比較現實的觀點看，喪葬費用當亦是後死者關心的重點。而前不久發生於田納西州的一件法律訴訟，倒是值得提出來討論一番。

依一般的估計，普通美國人家花費最大的項目，其大致順序為置產購屋、買車，然後便是結婚和喪禮。某一公益性機構指出，喪禮花費平均約為四千七百美元，墳地費約八千美元，墓碑等尚不包括在內。聯邦貿易委員會則進一步說明，棺材是喪葬費用中最貴的單獨一個項目，約佔傳統式喪禮的三分之一到一半。金屬製棺材平均價目自八百到六千美元，木製棺材自一千五到三千美元。純就人情之常而言，喪家親屬雅不願對喪事顯得過分斤斤計較。貿易委員會特別提及，遭遇親人死亡，情緒沮喪，加上缺乏經驗和資訊不足，何況遺體必須儘速處理，時間很緊，這種種因素形成一個非常獨特的處境，喪家極易做出不當的決定，屢為喪葬業者所乘。

田納西州查坦努卡市有位牧師，某次到紐約市曼哈坦區，在一間壽具店看到一幅棺材只賣八百元，與他不久前替岳母辦理喪事時的棺材完全一樣，當時他卻付了三千二百美元。返抵田納西州後，這位牧師和一名學校清潔工合夥，向該州申請零售棺材的執照，他們的店純賣棺材，並負責送到顧客指定的地點，遺體的處理和喪禮等，一概不在營業範圍內，換句話說，他們開的是一間只賣棺材的零售店，如此而已。

然而，該店開張不久，即被州政府封店，州政府要求該店必須取得殯儀館執照，並有一名取得執照的喪禮主事當經理，才能正式營

業。主要壓力來自田州殯儀館暨遺體處理董事局，這是該州現有喪葬業者組成的機構，代表業者的利益。依該州規定，成為一名殯儀館主事，必須通過一年三學期五十學分的課程，包括如何清理準備遺體，然後在有照殯儀館工作一年，至少具有二十五次協辦喪禮的經驗。如果完全遵照規定，則該店至少需等兩年時間，方能正式營業。

店東遭遇此一阻擾，遂求助於The Institute for Justice，委由這間公益性的律師事務所，正式提起訴訟，且將該案性質予以提昇視為為民權案件。所持理由為把純賣棺材者當成殯儀館業者，並不合理。這就像要求賣鞋的人具有足科醫師執照、賣床墊的人具有脊椎治療執照一樣。並認為田州的相關規定不啻是在締造違反競爭精神的聯合壟斷，與公共衛生、安全等不相干。殯儀館業者的反對意見，可舉南卡羅來納州殯儀館協會為例，該會表示如果每個街角皆可售賣棺材，那麼很可能會有越來越多人想自行辦理喪儀，這會造成公共衛生上的問題。

針對這次訴訟案件，著名的專欄作家喬治‧威爾曾為文加以評述（見新聞週刊二〇〇〇年五月十五日第八二頁）。田納西州唯有殯儀館業者才能賣棺材的規定，威爾譏之為業者運用或利用公權力以保護本身的利益，進而打擊競爭者。凡事均賴官方加以規範，連死後棺材也不放過。這次爭議若能抑制喪葬費用的升漲，倒是生死兩皆受益。

——《美中新聞》，2000年7月7日

美國人真笨

鄭重聲明：本文以下所述，無論時間、地點、事件和人物，均非特別具體指明，若有人讀後刻意對號入座，或以為本文故意影射，凡此種種粗暴干涉作者撰稿之內政者，一切嚴重後果均應由對方自行負責，特為聲明如上。

鏡頭一

某年某月美國某大城，於慶祝十月一日中共國慶遊行後，籍貫屬於遊行群眾主力的中國南部某省人士，趨前向主辦這次活動的要角之一某僑界重要人物致意，交談數分鐘後，以茲事體大，僑界重要人物邀某人士返舍深談，顯然事關緊要，必須妥為安排。按這位重要人士一向愛國不後人，重要活動無役不與，舉凡反獨促統、批判法輪功等等，發言慷慨激昂，與中共駐外單位配合良好。至於南部某省，則為近十餘年來以各種合法和其他方式入境美國者之主要僑鄉，該省人士似已成為大城支持中共活動的群眾基礎。

鏡頭二

某大城市區公園的早晨，和風習習，空氣清新，雖有片片白雲，但陽光穿透揮灑下來，使得這個週末日子充滿生機。公園一角，約有五、六十人分隔開來，看他們所做的動作，大概正是近幾年來流行的法輪功學員的練功，除了兩三位洋人點綴其中外，其餘都是華人。這群人靜默自持，專注於吐納，不少人甚至閉目練功。不知不覺間，未知從公園何一方向，悄悄地出現了兩個人，其中一位無聲地加入練功者的後面，有些未閉眼的人看到他，嘴角微微一笑，這名新加入者也

報以不好意思的笑容。同行而來的另一位，於取得足以照應練功全景的角度後，立即按下快門，照了幾張相，當然是以新加入者為主，其他法輪功學員為背景。事畢之後，這位人士迅即與友人會合離開現場。法輪功學員此後仍然照常練功，但神龍見首不見尾的這位人士，卻再也沒有出現過。

鏡頭三

幾個月以後，法輪功學員二、三十人，聚眾向中共駐外單位抗議官方在大陸迫害法輪功學員的諸種行徑，除了坐在門口者外，還有幾名法輪功學員向過往行人車輛散發傳單。但在另一方面，也有幾位中國人散發中共官方印製的小冊子，指控法輪功害得信眾家破人亡，小冊子內還集有一些血淋淋的相片為證。不久，雙方散發傳單的人彼此之間還產生相當火爆的爭執。前面提到的那位南中國某省人士，也夾雜在裡面幫著散發官方文件。的確是焦不離孟，那位手提相機的朋友，又在局面混亂時替他拍了幾張相片，角度仍然以門口練功者為背景。這名某省人士，內心略有忐忑，行動不敢太過囂張。

鏡頭四

不久之後，前述重要僑界人士，帶著這名南部某省人士，一起去到專辦移民案件的洋人律師樓。某省人士英文不夠靈光，多需倚靠重要僑界人士當做舌人。只見其侃侃而談，某省人士加入法輪功的時間地點均極明確，且有照片為證，本來這些相片無非當做個人存念之用，但鑒於中共政權迫害措施變本加厲，也幸好還留下這些相片。該君不僅勤練法輪功，而且相當堅持信仰，甚至曾經不計個人安危，為了宏揚大法，親身赴中共駐外單位門口散發抗議傳單，由於當時已近薄暮，相片稍較模糊，但某君及後面的背景還是看得出來的，友人在他不知情的狀況下拍得這些照片，令他感佩不已。不愧是旅美甚為資

深的人士，這名僑界要人頗能抓住要領。洋律師什麼移民案件沒處理過，聽後輕輕一笑，說聲準備工作還不錯，隨即送客。

鏡頭五

又隔了相當一段時間，移民申請案件終於有了著落。某省人士充滿感謝之情，於是在華埠某大餐廳宴請那位幫他大忙的重要僑界人士。席間歡笑連連，偶而談及申請案的經過，但多用曖昧不明的辭語，旁人也未必聽得懂。倒是得意之餘，還是丟下一個彷彿結論似的尾巴。飯後走出餐館，滿天星斗，祖國的明天多麼美好，尤其在那句結論的陪襯下，他們耳際似乎一直迴繞著勝利的喜悅：「美國人真笨！」

餘波之一

根據報導，美國移民局表示，近年以練法輪功為由申請政治庇護者，中國南部某省人士佔九成，而該省又是人蛇集團私運華人入境美國的大本營，移民局方面表示甚為不解及困惑。某些人以為，美國人真笨，又見一例

餘波之二

最近華洋媒體均大幅報導，美國全國民意調查顯示，美國民眾對華裔持「非常負面態度」者，約達四分之一，且有三分之一懷疑華人的忠貞，認為他們對中國比對美國忠誠，至於視中共為友邦者，亦急遽減少中。民意調查會受時事影響，尤其最近美中撞機事件，當然會發生對華裔的負面印象，但長程看，十餘年來華裔的負面印象持續成長，若不自欺欺人的話，自與中共政權有關，其次也與某些華人「美國人真笨」的心態脫不了關係。

美國人真的那麼笨嗎？

——《美中新聞》，2001年5月4日

諾貝爾獎一百週年

　　全球最負盛名的諾貝爾獎，首度頒發於一九〇一年十二月十日，紀念諾貝爾逝世五週年，到今（二〇〇一）年十二月十日，恰好是一百週年，主辦單位舉行了非常隆重的各項活動。回顧過去有關諾貝爾獎的種種，不啻是現代社會與文明發展的縮影。

　　阿弗瑞・諾貝爾（Alfred Bernhard Nobel）是瑞典人，生於一八三三年十月二十一日，一八九六年十二月十日在義大利的聖雷莫故去。他系出名門，不論是父系或母系，均出過不少傑出人物。一八四二年，全家移居俄國聖彼得堡，當時他父親在該市設有國防工業生產工廠。一八五〇年離開俄國，隨後數年遊學法國、美國，再返俄國到父親公司任職，直到一八五九年工廠倒閉為止，然後遷回瑞典。諾貝爾的主要教育不是來自學校，而是由家教所培植。他在十六歲時，就已經是一位造詣頗高的化學師了，諾貝爾遺傳了父系的發明天份，一生獲得三百五十五項專利。

　　製造研究並改進炸藥，乃是諾貝爾事業的根基，也是他獲得巨大財富之所本。但不幸在一八六四年九月三日，他的工廠發生意外爆炸，造成五人死亡，其中包括他最年幼的弟弟，此後諾貝爾更專心致力於炸藥的安全性和效力，他的新發明於一八六七年取得英國專利權，次年又取得美國專利權。後來幾年，繼續勤加研究改進，製成了威力更強的炸藥，而於一八七六年獲得許多國家的專利，使得炸藥dynamite一詞跟他的姓連在一道。他的產品使諾貝爾於全球各地獲利極豐，何況他在俄國巴庫油田佔有大股，財源滾滾而來，讓他能夠經常旅行世界各地。

　　但就個性來說，諾貝爾本人卻有點靦腆內向，具隱士傾向，而且還是一名和平主義者。他雖然是著名的化學家、工程師和實業家，但也熱衷於文學，年輕時代曾用英文寫詩，在他死後留下的文件中，竟有手寫的小說楔子。諾貝爾一生未婚，事業成功卻又不喜出名，也怕自己的發明反而使戰爭殺戮更形殘酷，因而在遺囑中把財富近乎全數捐出成立基金會，運用基金的孳息以獎勵對科學文學與和平有傑出貢獻者。當時基金的價值約達八百三十一萬一千美元，所生利息給每一獎項提供略高於八萬五千美元的獎金。由於經營得宜，目前每項獎金已高達百萬美元之多。

　　原設獎助類別計為物理學、化學、生理學或醫學、文學及和平獎，這些項目可以說多少反映了諾貝爾的個性。到了一九六八年，瑞典中央銀行為了紀念隔年三百週年紀念，另外出資設置經濟科學獎，於一九六九年首度頒發。遺囑中指定由瑞典皇家科學院負責物理與化學獎，後又添加經濟學獎。皇家卡洛琳醫學會負責醫學獎。瑞典學術院負責文學獎。至於和平獎則歸挪威諾貝爾委員會負責。諾貝爾獎除獎金外，還有黃金徽章及證書，除了和平獎在挪威奧斯陸頒發外，餘均在瑞典舉行。

　　諾貝爾獎的遴選程序，大致是這樣的：前一年初秋，由負責單位向世界各地發出提名邀請函，到了二月一日，六個審查委員會開始進行審查工作，九、十月間，委員會向負責單位推荐人選，全部得獎名單於十一月十五日以前決定，採取秘密投票方式進行之。除了和平獎可以頒給個人或團體外，其他五項受獎人均為個人。依百年來的記錄，物理、化學和醫學獎爭議極少，文學及經濟獎爭論稍多，和平獎則是爭議不斷，也是不頒發次數最多的一個項目。一九三七年，大獨裁者希特勒下令禁止德國人領受諾貝爾獎。近年來，對民運人士被提名和平獎的風聲，中共政權也是不時做出政治干擾的動作。

　　個人曾試著根據手頭現有的資料（年代為一九〇一年至一九九七年），做過初步的統計。以物理獎為例，美國人（包括德裔、義裔、日裔、華裔、匈牙利裔、挪威裔等等）得獎者高達六十九位，英國人十九，德國人十七，法國人十，俄國人七，荷蘭人六。化學獎：美國人四十名，德國人二十三，英國人十九，法國人七，瑞典人五，瑞士人五。醫學獎：美國人七十八，英國人二十二，德國人十三，瑞典人八，法國人七，瑞士人六。文學獎：法國人十二，美國人八，英國人六，德國人六，義大利人六，瑞典人六，俄國人五，波蘭人五，西班牙人五。和平獎由於包括機構所在地國家，統計上代表性需打折扣：美國人十八，法國人九，英國人八，瑞士人八，瑞典人五。經濟獎：美國人二十七，英國人五。以上統計以得獎五名以上者為限。

　　在二十世紀的前半，歐洲國家得獎者比例高，到了二十世紀下半，美國人實在是一枝獨秀，美國吸引世界各地的精英，更是形成互為因果良性循環的主要因素。尤其在醫學和經濟學獎方面，美國遙遙領先多矣！而在物理與化學類，其領先地位也非他國所能企及。唯一例外是文學獎，若加上去（二〇〇〇）年華裔法籍得獎人，法國共得十三次。統而觀之，在科學與文學領域，美國與歐洲國家毫無疑問的是現代社會與文明的強勢。假定和平獎也可算是現代國際政治的一項指標，則放眼百年國際關係的舞台上，誰是主要角色，至屬明顯。

　　迄今為止，華人得獎共有：楊振寧、李政道、丁肇中（均為物理獎）李遠哲（化學）、朱棣文、崔琦（物理）、高行健（文學），高為華裔法國人，餘全屬華裔美國籍。就總人數言，略遜於歐洲小國如荷蘭、奧地利、比利時、丹麥。以亞洲國家論，日本人表現最佳，日裔美人得科學獎者不計，日本人在物理、化學、醫學及和平獎各得一次，文學獎兩次，除經濟學獎未得外，其他五項全都得過，涵蓋面相當完整。

　　簡單回顧百年來的諾貝爾獎，華人的表現就其人口佔全球比例講，有待加強，唯願在新的世紀會有更好的成績。

——《美中新聞》，2001年12月14日

邦德電影的魅力

　　電影業的票房收入，以暑假和耶誕節假期為最重要。耶誕假期比較短，但大約佔全年總收入的五分之一，影片製作公司與業界人士一向不敢輕忽，正因為期間不長，事前的推廣促銷手法，反而更形密集。

　　今（二〇〇二）年十一月開始的「打影片」活動，似以〇〇七邦德影集最新一部Die Another Day（筆者暫譯成「改天再死」，華文報紙影劇版譯作「誰與爭鋒」，不過發行商可能另有華語片名），最令人矚目。該片男女主角皮爾士・布洛斯南和荷莉・貝瑞（榮獲本年奧斯卡女主角金像獎），不時上主要電視台接受訪問，著名的專訪節目主持人拉瑞・金，也花了不少時間在兩名主角身上。由前邦德女郎之一製作的「永遠的邦德女郎」（Bond girls are Forever），則於十一月六日晚黃金時段在CNN播出。不僅電子媒體如此，印刷媒體也不例外，除了報紙雜誌多有相關消息刊登外，連品味高雅著稱的紐約客週刊，也載有長文論列。

　　據個人揣想，主要原因是「改天再死」係邦德系列第二十部影片，自一九六二年頭一部電影Dr.No發行以來，今年適逢四十週年紀念，趁此良機大事宣傳，既屬人情之常，也是有利可圖的生意經。依筆者有限的觀影經驗，在電影史上，著名及暢銷的影集很少超過五集，「教父」、「法櫃奇兵」、「致命武器」，都以四、五部收場，「致命武器」有可能續拍下去，但像邦德系列橫跨四十年，高達二十部，並且顯然還會持續經營（布洛斯南已簽下一部電影合同），應該說是空前的記錄。

　　英國〇〇七號情報員詹姆斯‧邦德，乃是小說家伊安‧佛來明創造的人物。他在一九五〇、六〇年代，出版了一系列以邦德為主角的小說，風靡世界，當時的美國甘納迪總統便是其忠實讀者之一。佛來明受過相當貴族化的英國教育，且曾赴德國慕尼黑與瑞士日內瓦讀大學，長年服務新聞界，擔任過路透社駐倫敦、柏林、莫斯科記者，短期做過倫敦泰晤士報駐莫斯科特派員。一九三九年六月，投身英國政府海軍情報處成為情報處長的機要助理，直到第二次世界大戰結束。上面簡短的生平紀要，說明了原作者外國生活歷練豐富，且有情報界的高層實務經驗；反映到小說上，一方面具有新鮮引人的異國情調，另一方面情節固屬虛構，但作業方式則有一定程度的可信。

　　事實上，除了早期的幾部真的採用佛來明小說為本外，後來的邦德影片，不論故事內容或事件背景，已跟原作者無關，作者死後尤其如此，例如蘇聯共產政權崩潰後的局勢，中共不肖軍情首腦的陰謀等，豈有可能係佛來明生前所能預見及構想出的？這些當然是電影製作單位自行設想，配合時空的變化，以求吸引全球觀眾，只是主角一仍舊慣，還是慧黠、幽默而又神勇無比的〇〇七邦德而已。

　　也就是說，嚴格講，真正永遠的乃是男主角邦德本身。實際上，邦德女郎很少出現在兩部以上的影片中，絕大多數均是一片了事，同時這也是製片公司有意採納的手段，亦即把誰是新邦德女郎的懸疑當做賣點，未演先炒熱。換言之，邦德具有大男人的味道，女主角彷彿只是性感象徵與道具，這正是現代女性主義者批評詬病邦德影集的焦點。不過，現任邦德的布洛斯南，卻在近日的訪問中坦白承認，邦德確有大男人神采，但這正是他吸引人而能歷久不衰的地方。

　　四十年來，平均兩年有一部邦德電影面世。演過的男演員計有：史恩‧康納利（六部）、喬治‧拉真比（澳洲演員，只演一部，少為人知）、羅傑‧摩爾（七部）、提摩西‧道頓（兩部）和皮爾士‧布洛

斯南（目前為止四部）。康納利、摩爾、道頓（威爾斯人）係英國人，布洛斯南為愛爾蘭人，拉真比是澳洲人，顯然均屬英國語音系統的演員，既然主角是英國情報人員，一口美式英文，大概不易叫人信服，美國男演員想當○○七，機會不大。女主角反而多有外國口音者，包括東歐、南美、東南亞等，華人女演員楊紫瓊演過一九九七年的「明天絕不會亡」。

邦德影集自是環繞著男主角為中心而打轉。影片中的男主角形象，一向是後期青年到早期中年的男士（羅傑‧摩爾出任主角時年紀已不輕，後來幾部就顯得有些老相），穿上時髦上等的西裝，既合身又挺拔無比，脫掉衣服只著短泳褲，則身材絕佳，史恩‧康納利的胸毛更被認為是男性性感的象徵。臉上掛著自信而稍帶狡詐的微笑，手持調妥的雞尾酒，風度翩翩周旋於美女和高層社會之間，而一旦動起手來，身手矯健不凡，對所有科技武器無不精通，駕車驚險之極，開飛機俯衝或逃逸等閒之至！時時陷身虎口，總能履險如夷。早期影片，片頭總會推出奇巧實用的○○七個人防身武器包括功能多變的汽車，似乎只要簡單示範一次，邦德的高度智商立刻即可理解和運用。至於面臨危局時的智慧，更足以表明他的智勇雙全。積多年觀賞邦德影集的結論，個人老覺得這是穿西裝、用科技武器的現代西方武俠電影。

紐約客週刊名作家安東尼‧蘭恩（見十一月四日該刊第七八至八二頁），在長文中批評謂，這麼多部邦德電影，對白中居然沒有令人難忘的句子。同時指出，從來沒有藝術造詣高深的導演執掌過○○七影片。（筆者添一句評語，絕少演員因邦德影片得過奧斯卡獎）蘭恩認為，邦德系列本是二流電影，但卻躋入一流名單。這的確是一針見血的識見。即便如此，連蘭恩也無從否認下面的事實：據估計，全球人口有四分之一至少看過一部邦德影片。以個人為例，只要時間許

可，電視頻道重播的○○七影片，還是樂此不疲的予以觀賞，樂於做為全球人口四分之一的一份子。原因挺簡單，就尋常百姓而言，這些影片具有高度的娛樂價值。

　　附註：茲將邦德影集片名、年份、男主角列舉如次：

Dr. No (1962)、From Russia With Love (1963)、Goldfinger (1964)、Thunderball (1965)、You Only Live Twice (1967以上均Sean Connery)、On Her Majesty's Secret Service (1969 George Lazenby)、Diamonds Are Forever (1971 Sean Connery)、Live and Let Die (1973)、The Men With The Golden Gun (1974)、The Spy Who Loved Me (1977)、Moonraker (1979)、For Your Eyes Only (1981)、Octopussy (1983)、A View To Kill (1985以上均 Roger Moore)、The Living Daylights (1987)、License To Kill (1989 以上均 Timothy Dalton)、Golden EYE (1995)、Tomorrow Never Die (1997)、The World Is Never Enough (1999)、Die Another Day (2002這四部均係 Pierce Brosnan)

——《美中新聞》，2002年11月15日

感恩頌辭

耶 誕 節 頌 辭

　　長住芝加哥地區的人，也許已經注意到一件小事：自一九八八年起，每到十二月廿五日，芝加哥論壇報的頭條社論，一定是重印去年的〈當耶誕節降臨〉這篇文章。芝加哥論壇報創刊於一八四七年六月十日，今（一九九七）年即將屆滿一百五十年，是美國具有領導地位的主要報紙之一。主持該報筆政的人，不因人事的變更，九年來使用同一篇社論來頌讚美國最重要的節日，想來必定是認為此文最能代表報社的立場，〈文章，不朽之盛事〉，這篇社論庶幾近之。爰不揣淺陋，勉力試為轉述如次：

　　伴著歡樂的歌聲而破曉，這是何等的一天，何等的耶誕節？在伯利恆所發生的那神奇的一刻，穿過千百年被遺忘的陰冷黑暗，把這個信息傳遞過來的，是怎麼樣一條充滿愛與奇蹟的長河？今天早晨，當我們從這個世界——聖經中的智者難以想像的世界甦醒，迎向那每年一度使世界更美好些許的光輝，它將如何溫暖我們？

　　在一個共和政體下，我們無從要求大家全都遵行某種宗教儀式。但做為一個國家、一國之民，不管是基督徒、猶太教徒、回教徒、印度教徒、佛教徒或是無神論者，我們全都知道，今天，耶誕節，伴著歡樂的歌聲而破曉。做為人類一份子，做為幾可說已成一個世界的一份子，大家一道慶祝人子的誕生，並且熱切地期望，和平－這個難以把握的禮物，不會從我們的掌握中丟失。

　　我們絕不懷疑：今天的應許，不管我們是否視這個信差為和平王子；或者只是在此一吉日確知好事必將到來，從而找到安慰與可貴的希望；這個應許乃是屬於我們的，使我們最不完美的世界有可能使之

完美的應許。這不該是淡化而是增強了耶誕節的奇蹟。因為今天，耶誕節，當它伴著歡樂的歌聲而破曉時，它是屬於我們大家的。

唱出耶誕節的頌讚，大聲高唱或輕輕低吟。當小孩子敬畏地站在耶誕樹面前，揉著惺忪而驚奇的大眼睛，請歌頌他們的純真。他們父母的純真，由於世途崎嶇而備受琢磨，在這人人矚目的神奇時刻，他們還能在一瞬間重拾其純真，請歌頌為人父母者的這份能力。

祖父母，每到耶誕節清晨，大都嘮嘮叨叨地數落自己的子女，但對孫兒孫女卻不知節制宛若童騃，請歌頌祖父母的縱容。

在重度這項家庭傳統時，眼睛偶而會飽含淚水。請不必太費神去分辨，究竟是壁爐的煙火還是溫馨的懷念所使然。耶誕節的淚珠允宜善為珍愛而不必去多事分析。

同時，耶誕節的淚珠也應該為親友以外的人而流。孤寂的人，不被愛的人，被遺棄的人和形單影隻的人；無家可歸的人，衣不蔽體的人和無遮風擋雨之所的人；乏人照顧的老人，精神病患與生理病人，有毒癮的人，醉酒客；犯罪行為的受害者，被虐待的兒童及成年人，被毆打的人，苦而無助的人，戰爭和其他罪行而傷殘的人；且讓我們敞開心胸，為他們的苦痛哭泣。

不過，我們也得記住，在我們為別人的苦痛而傷悲的同時，仍有一份精神的救贖，那就是分享我們仁愛的耶誕喜悅。當我們熱烈地想改正所有的錯誤時，我們無非係在體現我們的傳承，各種宗教和近乎任何時地的哲學所共有的誡命：彼此相親相愛。我們是兄弟姊妹的守護者。

這一簡單的認知，這份對自身所具人性的簡易信念，我們於溫故知新時，且把悲傷而非我們至深的關懷暫擱一旁。請享受今天耶誕節充塞於人人身心的季節氣氛與音聲。鈴聲，那遍在的鈴聲。鐘聲起伏，街頭耶誕老人搖搖幌幌。穿過暗街上柔柔飄下的雪花片片，傳來

輕快的琴啊鈴啊鈴的樂音，勾起多少回憶。或者是救世軍銅鈴響叮噹的頌歌。歌聲，聆聽那歌聲，新曲舊調，電台馬拉松式不停播放的耶誕歌曲，店裡頭向顧客澆灌的感人曲調。

回想起幼年，小小的鼻子壓向洋溢著幸福的窗玻璃，閃亮的眼珠啜飲著只有孩子才知道的充滿夢幻的東西。這時候，請寬宥商人的營營圖利。耶誕季節的粗俗腐化，該受譴責嗎？如果你當過小孩子，如果你瞭解小孩子，你是無法真心責備的。假使你願意，不妨把貪婪之心驅除殆盡，這屬於成年人的世界。但請務必留下一段時間，這一段特別的時間，讓孩子們去夢想。

因著我們對和平的愛，你我的愛，尤其是對孩子的愛，以及我們深信他們需要夢想，我們迎接，是的，我們歌頌今天，耶誕節，伴著快樂的歌聲破曉而來。

論壇報〈當耶誕節降臨〉這篇社論，實在雍容大度而又親切感人，怪不得每年重印一次，樂此不疲，完全違反了報界的常規。林太乙女士為他父親所寫的《林語堂傳》，快到結尾時，記述林語堂晚年在耶誕節前夕，女兒帶他上百貨公司，見到各式各樣燦爛的裝飾品，聽見耶誕頌歌，在櫃台上抓起一串假珍珠鍊子，而泣不成聲。站員好奇地望著這位清瘦的老人，不明所以。林太乙的胸膛漲得快要爆炸了，內心嘶喊著：你要知道他是多麼熱愛生命，才知道他為什麼會掉眼淚。

除了愛與和平，耶誕節所歌頌的不正就是：生命的誕生！

補註：直到二〇一五年，該報仍於耶誕節當天，重刊這篇社論。

——《美中新聞》，1997年1月3日

有沒有耶誕老人？

　　親愛的編輯先生：我今年八歲。我有些小朋友說：世界上並沒有耶誕老人。爸爸說：「如果你在太陽報看到它說有耶誕老人，那就對了。」請告訴我真話，到底有沒有耶誕老人？

　　　　　　　　弗吉妮亞‧歐漢倫　　　西九十五街一一五號

　　弗吉妮亞，你那些小朋友錯了。他們受到一個懷疑時代凡事都不相信的影響。除非他們親眼見到，否則不會相信。只要是他們小腦袋所不能了解的東西，都是不會有的。弗吉妮亞，我們的腦子，不管是大人還是小孩子的，全都小得很。在我們廣大的宇宙中，跟周圍那無邊無際的世界相比，拿那足以瞭悟全部真理及知識的智慧來衡量，我們人只有一隻昆蟲，一隻螞蟻的智力。

　　是的，弗吉妮亞，人間是有耶誕老人，就像愛、慷慨及願心的存在一樣，耶誕老人確實存在。並且你也知道，這些東西很多，使你的生命具有最棒的美麗和快樂。啊！如果沒有耶誕老人，我們的世界將會變得多麼無聊！就像這個世界沒有弗吉妮亞那般無聊。這時候，童稚的信仰、詩歌、愛情傳奇也都不會有，來讓人的生活可以忍受下去。除了感官及眼睛可見的享受之外，我們別無享受可言，那充滿世界的童年光輝必當為之而熄滅。

　　不相信耶誕老人，那你也會同樣的不相信仙女！你可以請你爸爸去僱一些人，在耶誕前夕來看守煙囪，以便抓住耶誕老人；不過，即使他們沒有見到耶誕老人下來，那又證明了什麼呢？從來沒有人看見耶誕老人，但這並不就表示沒有耶誕老人。世界上最最真實的東西，

就是小孩和大人都不能看到的東西。你看過仙女在草坪上跳舞嗎？當然沒有，但這可不是她們不在那兒的證據。這個世界有許多看不到而且無從看見的神奇事物，沒有任何一個人可以認識或想像到所有這一切。

你拆開嬰兒玩的響鈴，想看看裏頭是什麼東西讓它叮咚作響。可是卻有一層紗罩蓋住了那看不見的世界。即使是世界上最壯的大力士，甚至把全世界活過的所有大力士的力量加起來，也撕不開這面紗罩。只有信仰、幻想、詩歌、愛以及真情故事，才能夠推開那面褘幕，而見到背後的神祕、美與榮耀。這一切可是真的？哎，弗吉妮亞，在這個世界裏，再也沒有別的東西是真實而令人順從的。

人間沒有耶誕老人！感謝上帝！耶誕老人活著，而且永永遠遠活著。從現在算起一千年後，不，弗吉妮亞，從現在算起千千萬萬年以後，他一定會繼續讓童稚的心快快樂樂。

註：在新聞史上，「有沒有耶誕老人？」這篇社論，大概是流傳最久近乎不朽的傑作。一百多年來，每到耶誕節期間，總是不斷被重印，不知溫暖了多少老少讀者的心！謹試譯如上。

——《紐約太陽報》，1897年9月21日

含笑的喪禮

　　好些年前，在開車途中，平日收聽的廣播電台放送一段充滿笑聲的現場錄音，主持人的按語和錄音帶本身的內容，實在是溫馨感人，即使已經到了目的地，仍然留在車內，把它聽完。

　　事隔多年，主人翁姓何名誰早給忘了，但這份錄音的基本信息，卻烙印心田永難忘懷。這是紐約地區一位功業聲名兩皆有成的人士的喪禮。在他生前，自行設計好自己的告別式，他不希望儀節儘是哀淒蕭穆，反而寧願家人親友在最後的道別中，擁有一份溫馨與喜樂，特別交待他兒子，於喪禮將要完結時，播放他灌製的錄音帶，娓娓憶述一生的趣事，偶而還對親朋好友幽默一番，結尾表示自己的一生乃是「值得活的」，並祝福現場的各位，趕快出去，「好好享受生命的豐美。」使得這次道別，笑聲不斷。這是何等胸襟！想像中有那麼一群人彷彿受到靈性的洗滌，步出教堂的台階時，晶瑩的淚光掛在含笑的臉上，這是何等景緻！

　　極具清望的芝加哥天主教區紅衣大主教伯納定，在一九九六年十一月十四日去世，不久於其住持的聖名大教堂舉行隆重莊嚴的宗教喪禮，高官顯貴雲集一堂，本地電視台曾做全程轉播。凡是看過這次喪禮的人，大概都會同意，整個儀典之中，最最動人的當屬維洛神父的誄辭。Father Velo是伯納定主教的司機、保鑣和機要秘書，他的誄辭，竟使崇高宏偉的大教堂笑聲連連，他最後以重覆的語氣說出：「您回家了，您回家了，您回家了。」（Father, you are home, you are home, you are home.）簡直是穿透時空，永恆迴蕩於人心。

　　最近，美國運動廣播界的傳奇人物，芝加哥小熊棒球隊播報人哈

瑞·凱瑞,以將近八十四歲的高齡去世。凱瑞係孤兒出身,崛起於密蘇里州聖路易市,擔任該市紅雀棒球隊播音人達二十五年,可以說是他事業上的黃金時代,一九七一年轉往芝加哥,先任職白襪隊,後來投入小熊隊。五十年來,他那寬大的牛角眼鏡;到球賽第七局時帶領觀眾大聲高唱「帶我出去看球賽」,這首詞曲都簡單的歌曲,可能僅次於美國國歌,成為男女老少人人都能上口的名歌;他的一些口頭禪式的興奮表達,如遇到全壘打時,「它也許是、它可能是、它真的是」一隻全壘打,最後墊以一句Holy Cow!這些,均已成為美國運動文化當中永誌不忘的風景,許多人快樂時光與美好回憶的一部分。二月廿七日在聖名大教堂的喪禮,他的同事好友所做的致詞,歡愉多過哀傷,贏得滿堂笑聲,次日芝加哥論壇報首頁所登載的照片,正是他的未亡人率同子女開口而笑的一幕!因為大家似乎都共同認為,他的喪禮乃是對他完整生命的慶祝。

死生事大。生命的誕生與完結,都是極其莊嚴的。當然,生的出現,帶給人的總是喜悅居多,而死的降臨,自然是悲慟哀戚,像莊子亡妻竟「鼓盆而歌」,實在有違常情,或許莊子乃是以超拔的心境去安頓自身的淒苦,畢竟無法成為一般人效響的榜樣。何況,悲傷本是人的自然情感之一,與其存心防堵,不如讓它宣洩。復次,如果把喪事辦成像低級無聊的鬧笑劇,不僅違反自然,更是對死者的不敬,尤屬不當。

然而,在居喪宜哀的原則下,我國的習俗中也有把喪事當喜事辦的說法,在臺灣就有相類的事例。如果死者年登耄耋,子孫賢孝,死前身體狀況健康正常,並未長期纏綿病褥,臨去安祥寧靜,喪家以長者得享善終為幸,前來弔唁的親友,在致悼時還會說些吉祥話頭。這種作法,既洞明世事,又人情練達,可謂甚具智慧。記得讀大學時,有位師長品評中國現代名人的生平,就對胡適先生的去世稱羨不已,

認為真是「人間第一等死法」。胡適由美返臺就任中央研究院院長，一九六二年二月廿四日，主持第五次院士會議，海內外群賢畢至，當晚舉行招待酒會，胡院長高高興興持杯向來客握手歡迎時，心臟病突發謝世。多年以後，師長仍津津樂道許為「第一等死」，正是因為胡適名望、學問甚至歷史地位已經穩固，七十二歲亦非短壽，而在充滿歡樂的心情下，沒有經過長時間的苦痛，瞬間即已解脫，真是可遇不可求的福氣！

生命的凋落，原是自然的韻律。敏感的人，見到花開花謝，就已不免有所感傷，若再想到今年新開的花朵，並不是去年怒放的那場麗美，恐怕更是不能自已。介乎神與無生物之間的人，怎能臻達「太上無情，最下不及於情」的境界？古人認為白髮人送黑髮人乃係人間至痛，良有以也。就在多采多姿的人生旅程即將揚帆之際，就在青春便要滿溢而開展之際，卻忽然從生命的舞台上消失了，人間還有比這更令人惋惜的嗎？林語堂在《吾國與吾民》書中寫下一段著名的「秋之歌」，他說：「清晨的山風吹過，使它顫動的樹葉飄落地面。你不知道落葉的歌是歡笑的歌唱，還是訣別的哀吟。」豁達的襟懷，使人神馳。但可別忘了，他指的是生命業已成熟的秋葉。

如果我們的社會，含笑的喪禮越來越多，即使你不同意，我也要說：這就是天堂，這就是淨土，這就是大同世界！

——《美中新聞》，1998年3月6日

殘缺旨在彰顯完整

利用耶誕節假期，靜下心來讀點書，在購物的喧囂和收拆禮物的歡樂聲中，實在是一股清流。富裕的現代社會，慶祝耶穌基督的降生，大家的活動往往有流於商品化之虞，幸好正派的媒體，也常常適時推薦好書供人選讀。

今年耶誕節期間，除了小兒贈送的幾部英文好書外，個人最認真細讀的乃是《天使在我家》。這是臺北宇宙光出版社去年（二〇〇一）年九月推出的新書，由該社派出兩名文筆暢達優美的工作人員，前來美國南加州地區，花了十天功夫，親身訪問育有殘障弱智子女的七個基督徒家庭，詳述他們的心路歷程，他們遭受的苦難和折磨，更重要的則是如何透過相互的扶持，藉著信仰的力量，把人間的至愛充分發揮出來。這部作品事先已有妥善規劃，採訪過後又再追蹤補充，面世僅兩個月，即進行第二次印刷。

筆者之珍視此書，還含帶私人的因素在內，畢竟這七篇真人實事的報導，其中有一篇記述的正是自己的至親，另一家則至少有一面之雅。極人間無可奈何之遇，缺憾憑誰訴說，這種遭際降臨到自己素所熟稔的親人身上，於感同身受之餘，我們一家甚至不免生氣地詰責：上帝為什麼要賦予善良正直的家庭這般超常的考驗？也許，他們曾經同樣略帶不平地問過「為什麼？」，但為人父母身歷其境，根本無從逃避，「不能選擇，只能承擔」，並且在有生之年，必然是「一個不能劃上句點的重擔」。

重殘低智子女的到來，對一個家庭的衝擊之大，事實上是全面的，心理的轉折調適，體力方面的無盡負荷，日常生活的不便，經濟

財務上的壓力，凡此種種全都成了一生的功課。就這七篇故事看，每一家都有過難以承認現實的初期抗拒心理，同時都會有一段「孤立」期。孤立的產生，一方面是外在環境積澱形成的「偏見」，另一方面則是當事人的「自我封閉」，兩方面交互作用，於是造成不願或畏懼一般的社交往還，同時內心深處萌生自責感，有位媽媽在追述孩子的生產過程時，認為「孩子在母腹中不受歡迎就已經造成傷害了」，由自責轉向自卑進而孤立自己，實在是頗為自然而常見的歷程。

個人在青少年時代，對家鄉鄰里鄙視殘障人士罪及父母祖宗的現象，非常反感，尤其是歸咎人家「積德不好」，始終無法接受。直到今天，華人社會的這種積習成見，仍然或多或少存在，一有機會，總是想加以辯正。生命的孕育及誕生，何等奇妙，其間的變數無法計算，遺傳因子的組合，懷孕期間的種種因人而異的變化，生產那一刻時空環境極難預知與控制的過程，由結果去推溯原因，遂變成邏輯上的不可能。其實，環顧生活週遭，父母為人中龍鳳，家族譜系相當優秀，但卻生下殘障弱智子女的實例，很容易舉得出來，並且中外皆然。一九九四年諾貝爾文學獎得主大江健三郎，夠優秀了罷，但他與夫人卻費盡苦心去養育重度低智的兒子，讓他展現正常人不易觸及的音樂才華！

生命的強韌，由這七家媽媽的身上表現出來，委實可佩。除了長期奉獻於照顧殘障子女外，她們大都在生過這麼一名小孩後，基於「我也能再生一個正常的孩子」或「不甘心」的好強心理，忍受著懷胎期間的高度焦慮和不安，勇毅地締造繼起的新生命，其結果不祗是把自己的心擺平，恐怕也由於自信心的增強，更能面對未來非走不可的艱難歲月。的確，「愛健康正常的孩子很容易，但是要愛殘障孩子真的不容易」，不過有了核心家庭成員的分擔與共享，至少使得身心俱疲的長期照顧不再如此孤單。更值得稱道的是：這些家庭又進一步

組成了「雅歌團契」，彼此互相扶持，沒有任何一個人是一座孤島。當你知道有位媽媽聞知某親戚說她命苦時，她的反應竟是：奇怪？我一點也不覺得自己命苦呀！生命的強韌便在這裏發光發熱。

這些具有堅定信仰的家庭，固然全都瞭解把命運交到上帝手中，但置身塵世的父母，面對殘障弱智子女絕難自立的現實，畢竟無從割捨。在被問到有關其弱智女兒的未來時，有位爸爸先是沉默了一會兒，緊接著淚水滾落而下，哽咽地說道：「我祈求……主多給我……三、四十年的……時間……好讓我……能夠……在她身邊……幫助她……。」讀到這兒，筆者忍不住眼眶濕潤，其間並無任何經文，但這該當是全天下育有殘障子女者的共同心聲！即使不是基督徒，也應該懇求上帝一定要垂聽這樣的話語。

落筆至此，忍不住要講些連自己都不知道該不該說的話。其實，《天使在我家》的七個家庭，全都生活在殘障福利最先進的美國，這七對夫婦個個受過高等教育，且有良好的職業或事業，婚姻關係雖然偶有小小的波折，且有丈夫先行而逝的，但為夫者全都非常體諒配偶，甘願分勞分苦。然而，並非所有的殘障弱智都生長在這般水準的家庭，他們的命運又會是怎樣一種畫面呢？真希望這本書的報導，能夠帶給世人一些啟示，至少類似「雅歌團契」的小型支援結合，可以多多普及而擴大，讓大家看待殘障弱智者時，少一些嘲諷，多一些理解和尊重。

畢竟，殘缺乃是人生必不可少的一部分。其實，殘缺的存在正足以彰顯生命的完整。

——《美中新聞》，2002年1月4日

感恩節源流小記

　　在美國受教育的小孩，學校課堂上傳授給他們的感恩節歷史認識大致是這樣的：一六二一年，早期一批從英國遠來追求宗教新天地和新生活的移民，在麻塞諸塞州遭遇了酷寒的冬天，當地幾近一半人口因而死亡，但次年的農作卻有個大豐收，富足的食糧儲備保障了來年的家計，於是在深秋時節，特別在普里茅斯村落舉行豐收慶祝，一連三天。由於他們受到原住民印地安人的協助，印地安人也被邀請來參加盛會。輔助教學的圖畫，呈現的是戶外的長桌上堆滿食物，包括印地安人帶來的東西，白人移民居中，四周圍著一群印地安人。長大以後，頗有一些美國人竟以為將近四百來，感恩節向來是在同一期日舉行的，這是不符事實的。

　　其實，第二回感恩節乃是兩年後的七月，這次則因為下了一場大雨，解除了農作物乾旱而死的危機。同時，糧食供應充足也不是表達感恩的唯一理由。美國開國元勳華盛頓總統，宣佈一七八九年十一月廿六日為全國感恩節假日，目的在慶祝美國憲法被各州所採納。麥迪遜總統也在一八一五年舉辦感恩節活動，用以慶祝一八一二年戰爭的結束。十九世紀上半葉，許多州逕自宣佈感恩節，日期大為不同。

　　正因為期日混亂不一致，使得主編《戈迪仕女手冊》的莎拉·哈爾（Sarah Josepha Hale, 1788-1879）女士，遂有感而發地推展起全國一致的感恩節運動，透過她不懈不怠的努力，終於說服了林肯總統，而在一八六三年正式頒佈，明定十一月的最後一個星期四為感恩節假日。經過數十年的演變，到了二十世紀，感恩節則成了耶誕節前購買季的起始點。在美國經濟大蕭條發生後起而執政的羅斯福總統，甚至

於一九三九年把感恩節挪前一個星期，用意是使美國民眾採購時間加長，刺激購買慾，復興經濟。然而，兩年後，國會不表同意，國會與總統再度明定十一月第四個星期四為全國感恩節假日。

有歷史癖的人，當然可以更進一步去追查以往的文獻，從而發現一六二三年麻州州長威廉・布瑞佛德首次宣佈三天感恩節假期後，新英格蘭各州仿效的情形，以及如何次第推展到南部各州，維琴尼亞州在一八五五年公佈，則是南部頭一個州慶祝感恩節假日。但衡諸史實，人類社會之有豐收慶典，淵源久長，甚至可遠溯自幾千年前。有人認為，美國感恩節源自英國的豐收家祭；猶太人的豐收慶宴（The Jewish Feast of Tabernacles），影響更大。無論如何，慶祝豐收其實是世界各地普遍存在的現象，臺灣的原住民族群的豐年祭，同樣行之有年，即為一例。當然，各國或各族群自有它的文化背景及社會風習，自然演變成具備各自特色的儀式或慶祝方式。

今天美國社會所慶祝的感恩節，大概感謝農作物收成好的具體意義已經轉淡了。就家庭言，家人團聚和宗教上的感恩精神則增強了，也因為如此，連帶地也就造成交通量的急遽增長，不論是搭飛機返家或開車回去，都產生擁擠的狀況。就整體社會言，則商機活動成為觀察經濟的指標，感恩節到耶誕節這幾近一個月的購買季，對許多零售業來講，更是一年營業收入最關鍵的季節，生意之成敗多少繫乎此。

真正還連結著豐收節慶傳統的，大概便是感恩節大餐了。典型的美式大餐，主菜是烤火雞、南瓜派、果醬等。有好奇的美國小孩，常常會問父母，為什麼到感恩節才有機會吃火雞？這個問題有點困擾，事實上平常也買得到火雞，要吃隨時可以吃，只是現代社會的一般家庭，生活忙碌，唯有遇到傳統節慶，才會推出盛宴。而對許多華人來說，很可能問題要倒轉過來：感恩節為什麼非要吃火雞不可？口味刁的華人，總覺得火雞肉淡而寡味，咬進口裡老是木木的難以下嚥，何

況一隻火雞動輒十幾二十磅，一頓絕對吃不完，剩下來的肉食之無味棄之可惜，拿來做火雞肉三明治，又能吃幾次呢？最後總是當垃圾倒掉的居多。烤隻鴨子充數，配上更可口的中國菜，豈不更佳！

何況，烤火雞費時費事，自己家裡的設備未必足夠，火候的把握尤其不易，對必須上班的家庭主婦而言，還不如去超級市場訂購烤好的火雞，加上配套的麵包、菓醬、填充料、南瓜派等，時間到了開車去取回來搬上餐桌，省時省事，何樂不為？雖然這麼一來，也許家內少了一點過節的燒烤氣味和忙中帶點喜樂的勁兒，但時間也可以用來粧點餐室餐具，有空跟客人交談，得失之間實難論斷。隨著現代生活步調的轉變，過節的方式必然也會因之而變，與其去惋惜某些儀式的失落，還不如欣慰於節慶傳統因現代化而留存下來。

居美多年，蠻欣賞感恩節到耶誕節這段時日。街頭燈飾架起，百貨公司櫥窗紛陳，購物中心充滿紅男綠女。有點虛幻，有點人工化，也有點庸俗，但少掉這些，快樂與幸福又該以什麼為具體踏實的背景呢？人間豈有純粹抽象的祥和及平安？置身於擁擠的人潮中，帶些感恩的心情，成為芸芸眾生中渺小的一份子，此身猶在，堪喜。

——《美中新聞》，2002年12月6日

文化生活叢書·藝文采風 1306015

辣手篇章照初心—— 一名獨立思考者的海外觀察

作　　者	廖中和
責任編輯	吳家嘉

發 行 人	陳滿銘
總 經 理	梁錦興
總 編 輯	陳滿銘
副總編輯	張晏瑞
編 輯 所	萬卷樓圖書股份有限公司
排 　 版	菩薩蠻數位文化有限公司
印 　 刷	維中科技有限公司
封面設計	斐類設計工作室

發　　行　萬卷樓圖書股份有限公司
　　　　　臺北市羅斯福路二段 41 號 6 樓之 3
　　　　　電話 (02)23216565
　　　　　傳真 (02)23218698
　　　　　電郵 SERVICE@WANJUAN.COM.TW
大陸經銷　廈門外圖臺灣書店有限公司
　　　　　電郵 JKB188@188.COM
香港經銷　香港聯合書刊物流有限公司
　　　　　電話 (852)21502100
　　　　　傳真 (852)23560735

ISBN 978-957-739-901-4
2016 年 1 月初版

定價：新臺幣 420 元

如何購買本書：

1. 劃撥購書，請透過以下郵政劃撥帳號：
   帳號：15624015
   戶名：萬卷樓圖書股份有限公司

2. 轉帳購書，請透過以下帳戶
   合作金庫銀行 古亭分行
   戶名：萬卷樓圖書股份有限公司
   帳號：0877717092596

3. 網路購書，請透過萬卷樓網站
   網址 WWW.WANJUAN.COM.TW

大量購書，請直接聯繫我們，將有專人為
您服務。客服：(02)23216565 分機 10

如有缺頁、破損或裝訂錯誤，請寄回更換

國家圖書館出版品預行編目資料

辣手篇章照初心：一名獨立思考者的海外觀
察 / 廖中和著. -- 初版. -- 臺北市：萬卷樓,
2016.01
　　面；　公分
ISBN 978-957-739-901-4(平裝)
1.言論集

078　　　　　　　　　　　　　104029024